5
2/22

Les Éditions du Boréal
4447, rue Saint-Denis
Montréal (Québec) H2J 2L2
www.editionsboreal.qc.ca

SURPRENDRE
LES VOIX

Le Romancier fictif. Essai sur la représentation de l'écrivain dans le roman québécois, Presses de l'Université du Québec, 1988 ; Nota bene, 1999.

Notre Rabelais, Boréal, 1990.

André Belleau

SURPRENDRE LES VOIX

essais

Boréal

© Les Éditions du Boréal 1986 pour l'édition originale
© Les Éditions du Boréal 2016 pour la présente édition
Dépôt légal : 1er trimestre 2016
Bibliothèque et Archives nationales du Québec

Diffusion au Canada : Dimedia
Diffusion et distribution en Europe : Volumen

Catalogage avant publication de Bibliothèque et Archives nationales du Québec et de Bibliothèque et Archives Canada

Belleau, André, 1930-1986

  [Essais. Extraits]

  Surprendre les voix

  (Boréal compact ; 286)
  Édition originale : 1986.

  ISBN 978-2-7646-2414-2

  1. Littérature québécoise – 20e siècle – Histoire et critique. I. Titre.

PS8553.E456A16   2016   C844'.54   C2015-942510-7

PS9553.E456A16   2016

ISBN PAPIER 978-2-7646-2414-2

ISBN PDF 978-2-7646-3414-1

ISBN EPUB 978-2-7646-4414-0

Note de l'éditeur

La première édition de *Surprendre les voix* a été publiée dans la collection « Papiers collés » en octobre 1986, soit un mois après la mort d'André Belleau, qui n'avait alors que cinquante-six ans. Rassemblant une trentaine de textes écrits entre 1963 et 1985 pour diverses revues, surtout la revue montréalaise *Liberté*, dont il fut l'un des fondateurs, cette édition avait été préparée par ses amis François Ricard et Fernand Ouellette, qui écrivaient : « Nous estimons que l'écriture et la pensée d'André Belleau sont trop importantes pour être laissées sous le boisseau, et qu'il faut rendre accessible à tous les lecteurs une œuvre qui, dans le genre de l'essai, se situe aux tout premiers rangs. » Trente ans plus tard, cela demeure toujours aussi vrai, les essais d'André Belleau ayant conservé la même force, la même beauté et la même actualité qui en font, aujourd'hui, un « classique » de la littérature québécoise moderne.

I

PAYSAGES

Mon cœur est une ville

1

La rue Saint-Denis m'est douce et je la sais par cœur. Elle me permet de dormir en marchant. Dormir ? C'est une façon de parler. Elle m'amollit et me berce et le poids que j'ai là, dans ma tête, se désintègre dans toutes les directions en pensées si nombreuses que je ne le sens plus. Mais il n'y a pas explosion. Je connais bien le procédé. Tout semble se dissoudre, puis glisse… glisse… Quand on commence ainsi à avoir un poids dans la tête, lourd contre le front, un poids qui rapetisse le cœur, quand on se heurte à l'écorce des arbres, à la pierre morte, parce qu'on sait qu'il y a quelque chose derrière, alors…

On se met à marcher et Montréal se révèle. Quand, pour se retrouver, on se dissout dans la marche, alors et seulement alors Montréal se révèle :

— Soir d'hiver. Quelque part, près de l'avenue Amherst, la rue Ontario est vide. Une large vallée de lune qui mène je ne sais où. On pourrait découper l'air en blocs. Les maisons basses y sont prises comme des herbes dans la glace. Leurs arêtes ont le tranchant d'un fil de rasoir. Pour qui l'éclair de ces néons atroces ?

Il n'y a personne. C'est la grande froidure. C'est l'inhumain.

— Carrefour étroit, rue Marie-Anne, avec un petit restaurant à l'un des angles. Un réverbère l'éclaire de façon étrange, d'une lumière chaude et douce qui me rappelle un film en technicolor que j'ai vu il y a bien des années et dont l'histoire se passe à Vienne.

— Sur le versant ouest du mont Royal, à une hauteur presque inaccessible, une maison blanche, énorme, flanquée de tours comme une forteresse musulmane… Les volets en sont toujours clos. Un inconnu qui m'observait alors que je la regardais m'a dit qu'on y avait commis un crime il y a dix ans puis il a disparu aussitôt.

C'est ainsi que Montréal se révélait et que j'appris à le connaître et à l'aimer. Et j'improvisais, en marchant, d'absurdes romances à demi oubliées :

> C'est le marcheur des rues c'est le marcheur du roi
> C'est le courrier de la désespérance
> Il porte un pli secret de très haute importance
> Mais il ne sait pas à qui le donner…
> … Toi tu marches sur la rue Saint-Denis
> La rue de ta jeunesse
> T'as comme Apollinaire un livre sous le bras
> Et tu pleures dans la lumière des cinémas…
> … Vienne le temps d'amour vienne le mois de mai
> Vienne le temps de la nécessité.

La rue Saint-Denis m'est douce et je la sais par cœur. Montréal a d'autres rues, plus opulentes ou plus fiévreuses. Nulle n'a, comme elle, le pouvoir d'habiter mes rives désertes, de réchauffer et colorer les abstractions tournoyantes de mon esprit. Au sommet de la pente, alors que le clocher de Saint-Jacques surgit du feuillage comme un cri, quand je passe devant la bibliothèque Saint-Sulpice ou la vieille école, voilà que je me sens soudain moins seul. Tout devient proche et me parle au cœur, chaudement. Je me sens naître.

Bien sûr, Montréal a d'autres rues. Mais cette rue-ci, c'est la descente. Chaque soir, je descends la pente. Les gens d'ici disent même : « Descendre la rue ». Descendre vers quoi ? Voilà ce que j'ignore et qui m'attire dans un halètement de tout mon être. Je pousse des portes de cafés, je pénètre dans des boîtes pleines de femmes, j'erre dans des culs-de-sacs sordides à la recherche de je ne sais quelle révélation. J'attends quelque chose, un miracle équivoque, un éclair soudain. Il me faut tout le vice de la ville nocturne pour me faire croire au miracle et à la vertu. J'attends. Rue Saint-Denis.

2

Conversation au Chanteclerc, rue Notre-Dame près du vieux marché.

Tout à l'heure encore, je ne te connaissais pas. Je ne t'avais jamais vue. Puis tu es apparue et je t'ai suivie.

— « Je t'ai appelé comme la mer sollicite le fleuve après la descente. Ils coulent tous vers moi. Tôt ou tard, je les contiens. Mais il y en a peu qui savent mon innocence. »

Je ne sais que penser, tant je suis ébloui et comblé.

— « Tous les soirs, je leur donne mon corps à voir et leurs yeux s'allument de convoitise. Qu'ils sont pauvres

et lâches! Mais je les aime et leur souris car ils savent
désirer. »

Que faisais-tu avant?

— « Il n'y a ni père ni mère qui tiennent! Pourquoi
cette question? »

Je veux savoir.

— « Tu as la gorge serrée. Ce que tu n'as jamais su
et qui te tourmente, la révélation toute proche, te perce le
cœur comme une vrille. Ajoute à cela la vertu hypocrite
et effarouchée qui se veut compréhensive. Sensation déli-
cieuse, n'est-ce pas? Tu es oppressé. Tu touches le mystère
et veux enfin savoir. Mais tu ne sauras rien et il n'y a pas
de mystère. Verse-moi à boire. »

Je croyais que tu avais une histoire où l'on descend de
marche en marche comme dans un escalier.

— « Mon corps n'a pas d'histoire. Quand je danse
et qu'il se renverse, je m'offre à mon désir et au tien. Je
m'offre à qui je veux. Il y en a plusieurs qui se jettent en
moi. Que tu es naïf! Crois-tu que je demande la permission au catalogue des choses permises? Je m'offre à qui je
veux parce que je le désire. Où est le mystère? »

Je voudrais comprendre l'arrière-plan sombre de la
beauté, le fond de décor nocturne, le grouillement des
choses basses ou secrètes sur lesquelles se détachent ton
corps lumineux, ton beau visage fardé, tes lèvres rouges. Je
voudrais savoir si la beauté existe au soleil froid de l'ordre.
Le sais-tu? J'assiste à des conférences où des gens d'esprit
s'efforcent pendant des heures de dévoiler la vérité. J'ap-
plaudis poliment mais ne suis pas ému. Je vois de coura-
geux polémistes sonder les reins et les cœurs et arracher
aux visages rétractiles leurs masques de vertu. Je crie bravo
mais n'y pense plus une heure après. Mais toi, lorsque tu

dévoiles ta vérité, tout en moi se brise et se déchire. Pourquoi faut-il que ce soit ici, devant ces nègres dopés, ces filles et ces larves, sous des lumières de cirque? Pourquoi faut-il que tu sois nocturne?

    — *« Je suis innocente de tout cela. C'est toi qui viens me quêter dans la nuit et qui me pares de ses prestiges. Tu ne viendrais pas si tu ne savais pas m'y trouver. Tu coules vers moi comme le fleuve vers la mer. Dans l'insuffisance du jour, tu ne me trouverais pas belle. Je ne suis ni sombre ou claire, ni fausse, ni vraie. Je suis. C'est toi qui es nocturne. »*

    Viens. Descendons encore. Il faut nous...

    Fleuve sans mer dans un pays de préhistoire, j'attends le jour de ma naissance.

3

Devant le quai Maisonneuve, à l'extrémité de la rue Viau, le fleuve s'élargit. La mer semble toute proche. On est surpris de penser qu'elle se trouve mille milles plus bas. Des mouettes affamées tracent dans le ciel pâle des éclairs de soleil et de blancheur. On voit sur l'autre rive le clocher de Longueuil. J'aurais moins froid s'il tombait dans l'eau qui coule.

    Ciel, page d'un soleil de géométrie.

    Les filles attendent sur le quai l'arrivée des navires. Chacune espère son matelot. Chacune voudra le retenir. Les grands cargos accostent dans la lumière. Ils appareillent dans les brouillards chargés d'adieux. Ainsi de port en port, d'escale en escale, la joie succède à la tristesse et la tristesse à la joie. Mais la grisaille retombe sur la ville. Au loin, la longue plainte des sirènes. Quelqu'un reste seul, et qui a cru que celui-là, qui est parti, n'était pas comme les autres. Il n'est jamais comme les autres. Et lorsque les amarres se sont rompues, une fois encore, dans l'âcre brume du matin, ce n'est pas lui, le grand cargo, qui est parti à la dérive, perdu.

Il manque aux villes des plaines, Winnipeg, Regina, Toronto même, cette douceur humide, cette grisaille de mensonges et de rêve. L'opium du départ. La contrebande des nuits. La ville est ouverte ; le promeneur des quais, des bassins calmes, est victime d'une illusion. Il veut partir. Pourtant, parce que le port est là, c'est le monde qui vient à lui. C'est le monde qui vient à la ville, avec ses dangers et ses épidémies. Il faudrait que l'on songe à fermer les ports, à chasser cette brumaille lourde d'équivoques. Les villes fermées, repliées sur elles-mêmes, sont claires. Il y fait soleil toute la journée.

Devant le quai Maisonneuve, sous les squelettes de fer, passent les fibres de glace rose.

4

Lever, une heure en autobus, sept heures de travail, une heure en autobus. De la banlieue à la ville, de la ville à la banlieue. Lundi, mardi, mercredi, jeudi, vendredi. Banlieue, ville. Ville, banlieue.

Dans la glu de nos jours et sur l'espace montréalais, deux pointes : la maison et le bureau. Entre l'aller et le retour, entre les matins et les soirs, le chemin est tracé et la durée, consistante. Mais au-delà, ou entre deux allers

*ou deux retours, que se passe-t-il? Qui peut dire quelque
chose d'un soir de banlieue, puisque tous les soirs de banlieue se ressemblent? Puisque tous les jours de la ville se
répètent. Banlieue, ville. Ville, banlieue. Mais entre les
deux pointes, hors du temps, astre vide, il y a l'autobus,
porteur de nos rêves et de nous qui portons notre vie. Ne
jamais descendre. Ne jamais arriver à destination.*

*Ces yeux pesants et vides à la fois qui s'ouvrent et se
ferment lentement. Ces têtes qui se déplacent avec une
placidité bovine. Calme effrayant des fauves. Multitude
parquée, asservie. Bons jeunes hommes bien rasés, bien
vêtus des samedis soir en instance de mariage et de vie de
banlieue.*

*Astre vide, vaisseau du désert, l'autobus relie, dans sa
course fulgurante, les pointes et les îlots de Montréal,
archipel inégal. Ici l'on travaille, là on dort, là-bas on
mange ou l'on s'amuse. Défense de vivre en ce quartier.
Habitez cette banlieue si vous voulez, mais ne faites qu'habiter. Interdiction formelle d'y faire autre chose.*

*Je vous convie à passer de la banlieue sans pelouse à la
banlieue avec pelouse, de Ville Saint-Michel à Ville Mont-
Royal. Cela s'appelle l'ascension sociale. Dommage que les
fils et petits-fils des ascendants ne se souviennent plus de
l'Ascension.*

*Tavernes et autobus, porteurs de leurs rêves. Autobus
et télévision, antennes du néant. Dans la glu de nos jours,
la pâte épaisse et sommeillante des banlieues, le crachin
des usines, ils sont bolides incandescents, astres vides et
lumineux. Entre les pointes de la ville, entre les îlots
de l'archipel, un autobus bondit, nommé désert. Ce désert
où nous n'avons pas à porter le poids de notre vie.*

5

Je ne vois plus le feuillage argenté et tendre de l'avenue d'Ahuntsic où dorment les jeunes filles pâles et dévotes, ni la lune agile et souple, ni l'air comme un bruit doux de robe amoureuse, ni l'eau nocturne comme une moire tendue, ni le parc Lafontaine comme une bouche humide et frémissante, ni la lumière fraternelle et chaude des soirs d'été, ni les rues sans arbres comme des allées de jardin français, ni les bouquets d'arbres comme des paysages d'Italie, ni le temps des cerises et le temps des noyaux non plus. Je suis d'une surprenante égalité d'humeur et tout cela est loin, très loin, mais je ne vois plus rien. Entre eux et moi, il y eut trop de choses, trop de : « Bonjour Monsieur, bonjour Madame. Comment allez-vous ? Mais voyons, soyons raisonnables. Ah ! Oui, je suis bien content de ce que vous ayez eu de l'avancement. N'oublie pas de te raser. Que pensez-vous de ce film ? Il fausse dans l'aigu. Ma foi, il était meilleur comédien dans l'autre pièce. Je vous en prie, Madame », et ainsi de suite. Mais je ne vois plus rien. Alors je reste ici à regarder Montréal, Montréal que je ne vois plus.

Il est là, feu d'artifice étrange et pétrifié. Le pont Victoria, chapelet dérisoire et lumineux décroché de la croix. Les buildings, invraisemblables sorbets avec leurs cerises dessus. Vers l'est, le réservoir à gaz et son gigantesque damier où se joue je ne sais quelle absurde partie. Et l'autre pont, frange scintillante d'une aile invisible et démesurée prête à balayer d'un coup cette fête de glace et d'ennui. Montréal est là, à mes pieds, mais je ne vois plus rien. Autrefois, les nuits de juin, j'allais vers lui comme vers un corps aimé, un corps de reins, de poumons, de sang, un corps alangui, amolli par l'attente. J'allais vers lui et j'écrivais, comme vous mes camarades, sur les murs dévorés par la lèpre blafarde des réverbères, le chiffre perdu. Soirs d'hiver. L'eau coule sous la neige et le square Saint-Louis est tranquille. Tes yeux étaient comme ce brouillard-là. Soirs d'été. Chaleur ancienne. Ta robe semblait légère comme feuillage de mai et mes yeux, depuis ce jour, se sont fermés.

Il ne me reste plus qu'à le regarder avec toutes ses lumières, multitude de petits soleils froids. Jusqu'à l'aube, alors que la fille d'à côté rentre en titubant un peu et que m'effleurent, un instant, le souffle de la vie absente et le mystère haletant de la chair nocturne. Elle ne rentre pas avant l'aube et je sais pourquoi. Et je la suis des yeux dans les bars dont j'aperçois les enseignes bleues et tremblotantes. Elle se trouve dans l'un d'eux, présence dévorante et muette, sueurs, aimant maléfique. Jadis, je l'ai cherchée de bar en bar à la poursuite de je ne sais quelle obscure révélation. J'avais envie de tous les abaissements vers la fleur étrange et belle. Ce n'était pas elle et pourtant c'était la même. Chaleur ancienne. Ô la revoir enfin pour que tous ces petits soleils froids se changent en brûlures.

Tout à l'heure, elle va rentrer, pleine et repue des sécrétions de la nuit. Elle seule n'attend rien. Elle seule ne croit pas au miracle. Elle se nourrit lentement tandis que les autres tremblent. Les autres espèrent quelque chose qu'ils ne savent pas, quelque chose qui n'arrive jamais. Il ne se passe rien. Et la belle danseuse, à demi nue sur la scène, la belle danseuse du *Rockhead Paradise* a les dents cariées et des marques violettes sur la hanche. Il ne se passe jamais rien.

L'aube pointe derrière le réservoir à gaz. Elle s'avance tel un brouillard gris et les lumières de la ville pâlissent peu à peu. Maintenant, elles sont sales et glauques. Le feu d'artifice de glace et d'ennui se décompose lentement. La grande aile du pont émerge du brouillard. Elle semble s'incliner un peu, non pour balayer la basse et grouillante faune nocturne, mais pour la protéger et pour la recouvrir… Il faut que le jeu se décompose de lui-même. Derniers grouillements des reptiles au fond de la fosse. Bientôt le jour va tout cacher.

Montréal porte au front les cicatrices hideuses de l'aube comme un visage vieilli de femme aimée.

Liberté : la porte est ouverte

J'appartiens à *Liberté* depuis le début, depuis 1958, et quand je pense aujourd'hui à la revue et aux années écoulées, ce qui me vient tout de suite à l'esprit, c'est l'image d'un lieu, on devrait dire : un milieu. Image quasi physique. J'entends les colères de Jean-Guy Pilon, le rire de Michèle Lalonde, les blagues de Roger Fournier, les mots assassins de René Lapierre, les silences parfois assourdissants de Fernand Ouellette, les paradoxes aigus de Jacques Godbout. Je vois la pipe philosophique de François Hébert, l'ironie toujours aux aguets de François Ricard, l'humour sur le visage qui se veut imperturbable d'Hubert Aquin... Je me rends compte que j'ai deux appartenances principales : les rues de Montréal où j'ai grandi, *Liberté* où je me suis épanoui. Qu'il y ait eu une connivence réelle entre le mouvement des rues de Montréal et le « mobilisme » de *Liberté*, cela pour moi n'a jamais fait de doute.

Donc, je me suis trouvé à *Liberté* comme dans mon milieu, tel un poisson dans ses profondes eaux. Bien entendu, cela suggère un endroit où l'air est vif, où l'on ne se sent pas gêné aux entournures de l'intelligence. Je continue de prétendre que les fondateurs de *Liberté* et ceux qui se sont joints à eux par la suite avaient et ont

toujours un goût passionné pour l'OUVERT. Mais
attention! Ce dont il s'agit ici, ce n'est pas un commode
éclectisme, c'est l'ouverture pour elle-même, un certain
espace jugé plus capital que ce sur quoi il ouvre. Ne pas
confondre. Nous sommes vraiment dans l'Utopie. C'est
sans doute la raison pour laquelle *Liberté* n'a pas connu
les « tout ou rien » idéologiques qui ont détruit tant de
revues d'ici, attribuables selon moi à la fétichisation du
texte, au narcissisme des pères nobles du théâtre des
idées. Impossible à quiconque à *Liberté* de se draper
dans l'indignation vertueuse, dans la noblesse de ton.
Ces littéraires ont toujours estimé que la diction comp-
tait autant que le dit et qu'on pouvait avoir tort d'avoir
raison et inversement… Cela s'appelle en langage actuel
poststructuraliste : savoir à quoi s'en tenir sur la nature
et la signification des discours. *Liberté,* c'est avant tout
une position, un vecteur de langage.

Situation d'équilibre parfois instable : souci littéraire du style sans complaisance telquellienne et sans
narcissisme « modernitaire » de l'écriture ; souci culturel
du sens sans hypersémentisation idéologique. *Liberté*
s'est frayé un chemin parfois hésitant entre les deux
modes, refusant d'instinct de se mettre à la remorque
autant du logocentrisme que de l'idéologisme. Elle se
trouve aidée en cela par le fait qu'une revue littéraire,
contrairement à une revue politique, ne dépend pas de
l'événement. Elle le crée. Elle est l'événement. Qui osera
affirmer que sur la longue durée, un événement littéraire a moins de portée qu'un événement politique?
Arbres de Paul-Marie Lapointe, *Le Québec et la lutte des
langues* de Fernand Ouellette, *La Vie agonique* de Gaston
Miron, *Recours au pays* de Jean-Guy Pilon, *Le Murmure*

marchand de Jacques Godbout, *La Fatigue culturelle du Canada français* d'Hubert Aquin, tant d'autres titres des cadets comme des aînés, ne sont pas seulement des écrits publiés par *Liberté*; ce sont des événements (au même titre que certains numéros entiers, comme le 134 sur l'institution littéraire québécoise, ou le 145 et ses pastiches d'écrivains).

À *Liberté*, on ne m'a jamais demandé de rendre des comptes, de me justifier, de m'expliquer, de faire mon autocritique, de ne pas me contredire, d'être cohérent, d'aller dans le sens de l'histoire, d'être présentable, de faire un peu plus attention au Caractère Sacré de la Personne Humaine, d'écrire des articles ou de n'en pas écrire. Non. Seulement, je n'ai pas tardé à m'apercevoir que vous risquiez de vous faire plutôt cruellement rembarrer si vous vous mettiez à vous répéter, à insister, à être lourd, affecté, unilatéral, ennuyeux, bref, à tomber dans l'esprit de sérieux. C'est une fameuse école ! Mais voilà aussi qu'après un certain temps, j'ai commencé après les réunions à me sentir comme allégé, desserré, avec le goût d'écrire. Quelque chose de festif aux réunions de *Liberté* coïncide tout à fait avec le bonheur des mots dans l'écriture.

On ne peut le nier, l'utopie non formulée dans l'entreprise de *Liberté* n'est pas sans ressemblance avec celle des copains du roman de Jules Romains ou celle de la pantagruéline navigation. Mais l'expression « les gars » pour désigner les membres du comité de rédaction de *Liberté* ne dénote pas une exclusion, et le terme n'a aucunement pour fonction d'inclure, entre autres sèmes, celui de la différence sexuelle. Il faudrait le rapprocher de l'usage que font de « *guy* » les jeunes Américains et les jeunes Américaines. « *Guy* » veut dire « *any person* », s'applique indifféremment aux hommes et aux femmes. Il cherche à indiquer non le sexe mais un certain type de relations humaines. *Liberté* doit assumer son histoire puisqu'elle en a une. Or imaginons, un moment, que *Liberté* est une taverne qui a été ouverte à Montréal en 1958…

Ce que je viens d'évoquer et qui vise à faire sentir un certain contexte de travail et de discours permettra peut-être d'entrevoir la raison du genre tout à fait particulier d'hostilité ou de critique dont *Liberté* a été l'objet. Cet fut probablement le malheur de *Liberté* d'avoir toujours été attaquée sur des questions adventices, des circonstances purement extérieures, jamais sur le fond. Victor-Lévy Beaulieu reprochait à Jean-Guy Pilon de prendre l'avion ou de boire du champagne. L'excellent Jean-Marc Piotte faisait grief à la revue (dans les défuntes *Chroniques*) de tenir la Rencontre des écrivains dans un bon hôtel des Laurentides ; il aurait préféré qu'elle ait lieu dans la shed. Je pourrais fournir des dizaines d'exemples semblables. Outre qu'ils signalent la mentalité de village pour laquelle il n'y a jamais place que pour un seul mastroquet, incapable qu'elle est d'imaginer que les entreprises puissent se compléter au lieu de rivaliser, ces exemples traduisent en même temps la position spéciale de *Liberté,* qui souvent disait quelque chose plus par sa position de langage que par les langages eux-mêmes, et qui ainsi offrait peu de contenu à se mettre sous la dent. Comment se définir envers une entreprise qui refuse d'obéir à toute sommation d'avoir à se définir ? Agacement. Déception. Hostilité. Cela se comprend.

Mais le rôle discursif joué par *Liberté* demeure à mon avis essentiel dans une société où les intellectuels ont souvent plus tendance à réagir à des signaux qu'à interpréter des signes, où les générations se succèdent tous les cinq ans, où le sens de la continuité apparaît à peu près inexistant, chaque groupe nouveau recommençant tout à neuf pour son propre compte…

Heureusement, la porte demeure ouverte.

Guadeloupe ambiguë

Au bar-paillote près de Gosier, à une dizaine de kilomètres de Pointe-à-Pitre, je demande un *freepunch*. Cela désigne aux Antilles un punch sans rhum, donc la mort du punch : un cadavre sous les apparences d'un jus de fruit. Vocable troublant : en « libérant » ainsi le punch, vous le tuez. Je lève mon verre et lance en clignant de l'œil au barman (il est de la Barbade) : « Vive le punch libre ! » Mon voisin sursaute, se tourne carrément de mon côté et questionne, l'air soupçonneux et courroucé : « Que voulez-vous dire ? » – « Rien de bien précis, c'était une blague, comme ça… » – « Car n'allez surtout pas vous imaginer, reprend-il, que la Guadeloupe gagnerait quelque chose à être indépendante »… Bon. Me voilà *embarqué*. Ce monsieur inquisitif, c'est un *béké*, un créole de race blanche. Mais les Guadeloupéens, qu'en pensent-ils ? Ceux auxquels j'ai parlé, chômeurs, paysans, chauffeurs de taxi, sont d'accord : « L'indépendance, pas question. Mais l'autonomie, oui. »

Il y a de la tristesse dans les regards. Ne pas confondre avec la résignation. Il faudrait une sémiologie de l'humiliation pour traverser l'ambiguïté. Les Jeux floraux auxquels le journal consacre une pleine page ont deux sections : l'une de *langue* française, l'autre pour le *parler* créole (plus loin, il s'agit de *patois*). Ce journal, c'est le quotidien « France-Antilles », possession lointaine de Robert Hersant *(Le Figaro)*. Silence pudique sur le chômage et le marasme économique mais cinq colonnes sur le match de rugby Honfleur-Saint-Étienne. Ou bien des faits divers relatés en style épique : l'arrestation d'un adolescent porteur de… cent grammes de *hash*. La revue *Guadeloupe 2000* (grand format, papier glacé) s'oppose à l'Union de la gauche (« ce grouillement obscène de crabes en délire ») en s'appuyant sur Charles Maurras, « un des penseurs politiques les plus puissants du XXe siècle », dont elle reproduit au surplus un texte jouxtant la « chronique » du père Bruckberger. C'est complet. Qui annonce, pensez-vous, dans cette publication ? La Banque des Antilles françaises, la Chase Manhattan Bank, Shell, le Crédit guadeloupéen.

À Pointe-à-Pitre, la municipalité est communiste. Pointe-à-Pitre a beaucoup d'une Bologne des Caraïbes. Les moins favorisés viennent d'y être relogés sur front de mer dans des habitations remarquables à des conditions que ne saurait soupçonner notre Jean Drapeau, ce Picrochole que le rire populaire n'a pas encore détrôné. J'interroge à mon tour et ce que j'entends et vois répond : qui es-tu toi-même ? La stridence de la nuit tropicale ressemble étrangement à la bande sonore d'*African Queen* tandis que les flamboyants de la place de la Victoire s'élèvent comme des laisses de Saint-John Perse.

La feuille de tremble

Que sont donc ces temps, où parler des arbres est presque un crime puisque c'est faire silence sur tant de forfaits!

BRECHT

J'écris ces lignes à la campagne devant deux trembles et un cerisier sauvage dit d'automne qu'un vent comme retenu fait miroiter sur le fond gris d'un second miroitement, le lac Silver, visible par endroits entre les feuilles et les branches. Le mont Orford s'estompe à l'arrière-plan dans la brume de l'été. Le ciel est pourtant d'une clarté aiguë. Le tremble donnerait raison à Cratyle car c'est vrai, il tremble. Le citadin que je suis s'émerveille. Mais il faut bien voir que le rapport du tremble au vent est en tous points différent de celui des autres arbres qui m'entourent : peupliers, érables, sapins, cèdres. Leurs branches se penchent ou se balancent tandis que chacune des milliers de petites feuilles d'un tremble prise isolément tremble au vent, le reçoit tout entier pour son compte, remue en tous sens et de tous côtés. Chaque petite feuille ne tient son branle que d'elle-même – ou du vent. Elle se passe de la médiation de la branche.

Certes on ne peut nier que la feuille du cerisier bouge un peu quand il vente. La difficulté est de savoir ce qui dans son mouvement est redevable au vent seul ou au vent par l'arbre, de proche en proche, de branche en branche.

… Je m'arrête. Voilà le genre de rêverie auquel on se laisse aller dans la torpeur de juillet (à condition de ne pas glisser simplement dans le sommeil, ce qui serait sans doute préférable). Je perçois maintenant un seul miroitement de feuilles et d'eau et le mont Orford me semble plus flou encore dans l'air vibrant. Des guêpes bourdonnent. Des livres attendent sur la table. Je bâille. Plusieurs gouttes de la Molson pas assez froide que je me verse viennent mouiller Pierre Barberis et France Vernier. Je pense tout à coup que c'est la dernière bouteille et qu'il faudra aller en chercher à Eastman, passer près du théâtre de Marjolaine, m'arrêter pour la dixième fois songeur devant cette affiche sur la façade de l'église : MESSE DU DIMANCHE – SUNDAY MASSES. Le bilinguisme me rattrape ici. Je ne m'appartiens pas. Puis je regarde à nouveau mes arbres et je m'éloigne…

Qu'est-ce qu'un arbre pour la feuille de tremble ? Elle croit répondre par elle-même au vent, ne devoir qu'à lui, comment pourrait-elle penser l'arbre ou la branche ou même une autre feuille ? Et pourtant que deviendrait-elle sans eux qui la nourrissent et la gardent ?

Le lierre du mur et la feuille du tremble ignorent tout de la nuit qui les porte.

À l'inverse, voilà une feuille d'érable bien constituée, large, robuste. Elle ne pourrait rien concevoir chez elle qui ne soit de la branche et de l'arbre et de la structure de l'arbre. Le vent ? – Ah ! le vent. C'est de l'idéalisme.

... Tout est immobile. On dirait qu'il n'y a que moi, fébrile, suant, qui bouge un peu, cherchant à caler mes deux cents plus x livres dans une chaise trop étroite...

Mais il est des jours où je me sens comme feuille de tremble, seul et entier au large, imaginant l'amour perdu ou la mort d'un enfant ; et parfois moins agité et comme à côté, quand il m'arrive de regarder un reflet de soleil sur le grille-pain dans la cuisine.

Mais le plus souvent, je suis feuille d'un autre arbre et je combats toute illusion, sachant qu'il ne me serait possible de toucher au vent – s'il existe – que par la branche et par le tronc.

Feuille de tremble ou feuille d'érable, c'est un peu trop joli. Je me rappelle tout à coup que Fernand Ouellette avait dit la même chose autrement et comme il faut : « Le malheur, c'est que Marx n'ait pas lu Kierkegaard. » Pourtant quelqu'un qui se réclamait de Marx l'a fait, c'est Lukács, le jeune Lukács. Le second malheur vient de ce que lui non plus n'ait pas été lu.

Chez Lukács, la solidarité humaine a le tremblé du vécu.

... Je me lève avec peine pour aller chercher la bière. En bas, sur la petite route en bordure du lac, des baigneuses vont lentement à la plage. Les maillots leur font le derrière en forme de cœur. Je m'arrête un instant, imaginant au centre l'unique coquillage...

Parle(r)(z) de la France

On ne peut pas parler de la France bien installé dans la relation sujet-objet. La France pour nous n'est pas un objet. Ceci nous condamne soit au silence, soit à *parler autour*, fragmentairement, en laissant dire quelque chose d'incertain et de hasardeux auquel pourrait convenir, à des titres divers, le mot FRANCE.

———

Le discours québécois est bloqué dans une question nationale obsessionnelle et indépassable. Nous en sommes tous là. Comment le libérer ? Il faudrait réussir à parler d'autre chose qui soit au fond la *même chose* (car on ne pourra jamais faire comme si la question n'existait pas). Hypothèse : laisser parler en nous la France aiderait peut-être à alléger et à disjoindre un discours figé dans le béton national.

———

La France est le seul pays du monde assujetti à ce qu'on pourrait appeler l'obligation du saucisson maximum. Personne ne se plaint jamais de la qualité du poulet rôti aux États-Unis ou de la fermeté des pâtes à Florence, mais il suffit qu'un journaliste tombe à Paris sur un mauvais pâté pour qu'aussitôt éclate dans le *New York Times* et la *Stampa* une joie mauvaise.

———

On a toujours négligé l'appartenance de classe dans la question des rapports entre les Français et les Québécois. Pourtant, j'ai remarqué que souvent les bourgeois français paraissent plus à leur aise avec les bourgeois anglophones de Montréal qu'avec des Québécois.

Bourgeois de tous les pays, unissez-vous… dans le dédain des péquenots !

C'est ce qui explique (partiellement) que telle personnalité française (la veuve d'un ancien ministre de l'air invitée par la bonne société de Westmount ou un ex-rédacteur en chef de l'*Express*) ait pris parti pour la minorité dominante dans le récent conflit linguistique. C'est ce qui explique aussi qu'à Montréal même, les cadres de la très française *Société de l'air liquide* soient à peu près tous des anglophones.

La bourgeoisie française d'une part, la gauche française de l'autre, s'avèrent au fond incapables de reconnaître et d'apprécier des valeurs telle la sociabilité paysanne, laquelle imprègne la société québécoise tant rurale qu'urbaine. Elles se sont édifiées sur la destruction de ces valeurs.

———

De Mgr Plessis à Léandre Bergeron, la francophobie a toujours été liée ici à une forme ou une autre d'obscurantisme.

———

Il y a ceci dans les périodiques littéraires et culturels français qui m'est devenu particulièrement odieux : la façon dont les auteurs des articles – fût-ce la simple recension d'un film – ne manquent jamais de signaler qu'ils sont plus *smart* que ce dont ils parlent, toujours au-dessus de leur sujet, jamais *off guard*, comme si en dernière analyse toutes choses pouvaient cacher une attrape humiliante, une question à laquelle on rougirait de ne pas pouvoir répondre. Cette attitude renferme les réflexes conjugués du bon élève, de l'instituteur et du policier.

Le professeur et le flic ne sont-ils pas les fondements de la société française ?

———

À mesure qu'on avance dans la vie, on lit les grands écrivains français en pensant de moins en moins au fait qu'ils sont Français (et aux déterminations qui en découlent). Ils appartiennent à tous.

La langue française aussi est à tout le monde. C'est une guidoune que personne n'a réussi à maquer.

———

Il ne faut pas oublier qu'il existe au Canada un courant de haine envers nous (il y a plusieurs courants au

Canada) qui se nourrit de la conviction que nous avons quelque chose de *français*. Lors de la guérilla linguistique à Saint-Léonard, un groupe d'anglophones marcha sur Ottawa. Ils furent reçus par le ministre Gérard Pelletier. Une photo en page trois de *La Presse* le montrait souriant, détendu, devant des porteurs de pancartes dont l'une, au tout premier plan, disait : « *NO FLOWERY FRENCH, ENGLISH THE LANGUAGE OF MEN!* » Le français, notre langue, une langue de tapette…

Quant à Gérard Pelletier, présumons charitablement qu'il est presbyte. Il s'agit d'un exemple (assez curieux) entre mille. Nous avons beau déclarer que nous sommes des Nord-Américains, le regard de l'autre, *hic et nunc*, nous pose irrémédiablement comme *alien*, étrangers, comme *FRENCH*.

———

Nous sommes toujours en retard d'une France. À l'ère romantique, nous lisions l'abbé Delille ; à l'époque de Zola, Chateaubriand ; en plein surréalisme, Barrès et Bourget. Aujourd'hui, au temps de Lacan, Barthes, Derrida, Deleuze, Foucault, nous découvrons Boris Vian.

La France que nous aimons n'est jamais la France offerte dans le présent. Elle nous fait trop peur.

———

Qui se souvient qu'au début des années 1960, les journaux d'ici parlèrent abondamment d'un religieux enseignant de Montréal – appelons-le le frère Zénon –

qui avait imaginé pour sa classe un système d'émulation assez curieux ? Il plaçait ses élèves selon les échelons de la hiérarchie nazie avec le Christ-Führer au sommet. *Le Canard enchaîné* avait repris la nouvelle en lui faisant le sort que l'on devine. Cette semaine-là j'étais à Paris et je me trouvai un soir dans un groupe où il y avait le musicologue Pierre Schaeffer. Il se mit à me répéter en haussant les épaules avec un mépris non dissimulé : « Le frère Zénon ! Ha ! Ha ! Le frère Zénon ! Ha ! Ha ! »… L'inquiétante grossièreté. Pour une fois dans ma vie, je n'eus pas l'esprit de l'escalier. Je dis aimablement que sans doute s'enquérait-il par là du bon frère, qu'il allait très bien merci, et qu'aux dernières nouvelles, contrairement aux compatriotes de M. Schaeffer, il n'avait pas encore livré de Juifs aux Allemands. Il y eut un froid.

Le monde étant ce qu'il est, être Québécois, c'est appartenir à une petite nation sans existence politique, et appartenir à une petite nation sans existence politique, c'est s'exposer à recevoir des coups de pied (même de Français). Jamais Schaeffer n'aurait ricané à un chargé de mission américain : « Le Ku Klux Klan ! Ha ! Ha ! » Car on ignore, n'est-ce pas, ce qu'on peut perdre en agissant ainsi.

———

Nous le savions déjà – et Herbert Lottman vient de le rappeler dans *La Rive gauche* : quelques milliers de mètres carrés de Paris ont constitué de 1920 à 1950 (avec des traces jusqu'en 1960) le centre idéologique, artistique, intellectuel et mythique du monde. Il est difficile de même l'imaginer aujourd'hui.

Je n'ai pas décidé un jour que la *Quinzaine littéraire* est médiocre tandis que la *New York Review of Books* est excellente. Ceci s'est imposé à moi sans que je le veuille. Et je ne l'ai pas constaté sans tristesse.

J'ai mis longtemps à me guérir de la France, non pas certes comme d'une maladie, mais à la façon dont on se guérit de ses parents lorsqu'on s'aperçoit, encore enfant, qu'ils sont de braves gens ordinaires. Mais pour la France, cela est venu beaucoup plus tard. En 1958 j'y étais, Paris gardait quelque chose de son caractère mythique. C'était avant le ravalement des immeubles ordonné par Malraux. Il faisait gris historique (maintenant, c'est le blanc muséologique). Vers 1958, le poète américain Kenneth Koch faisait à Paris une thèse de philosophie sur Malebranche ; vers 1958, le poète américain John Ashbery étudiait à Paris l'œuvre de Raymond Roussel… C'était avant Michel Tremblay.

L'Allemagne comme lointain
et comme profondeur

à Fernand Ouellette

Hans Robert Jauss et les classiques

Commençons par une anecdote. Ça se passe en Allemagne, au printemps de 1914. Je me trouve à Constance avec Fernand Ouellette. Nous sommes logés au Stergenberger Insel, une abbaye médiévale transformée en hôtel. Le critique Hans Robert Jauss, l'auteur de *Pour une esthétique de la réception,* a gentiment accepté de nous rencontrer et nous voilà en train de bavarder au bar de l'hôtel. Soudain, Hans Robert Jauss s'anime : « Il faut, insiste-t-il, concilier le structuralisme français avec la tradition herméneutique allemande… » Mais Fernand Ouellette et moi prêtons à peine attention à ses paroles. C'est que nous poursuivons une sorte de monologue à deux ou plutôt de duo lyrique dans lequel nous exprimons notre ferveur pour les écrivains allemands que nous aimons : Hölderlin, Novalis, Kleist, Brentano… Jauss se tait, nous observe un long moment, un peu agacé. « Vous rendez-vous compte, finit-il par

dire, que lorsque vous me parlez de tous ces bons-
hommes, c'est comme si moi je vous causais avec
enthousiasme de Racine, de Corneille, de La Fontaine ?
Quel effet cela vous ferait-il ? »

Il m'est arrivé souvent par la suite de réfléchir à
cette remarque de Hans Robert Jauss. Le classicisme, la
tradition pour lui constituaient précisément notre anti-
classicisme, notre anti-tradition. C'était là nous obliger
à *voir* (puisque nous étions sourds) toute la question de
l'interaction des cultures. Les textes n'ont pas qu'une
fonction « nationale ». Ils peuvent agir comme para-
digmes de l'AILLEURS pour les lecteurs d'une autre
culture. Et leur rôle en tant que surface de projection
renvoie aussi à celui, à ceux qui s'y projettent. Pourquoi
la culture allemande (dans son sens le plus large) a-
t-elle exercé une telle fascination sur plusieurs Québécois de ma génération ? J'y reviendrai plus loin. Mais si
j'ai relaté d'abord cette anecdote, c'est également pour
signaler qu'étant conscient du « lieu » de mon discours,
je demande pour cette raison l'indulgence : s'il arrivait
que des personnes de culture allemande lisent ces notes,
elles trouveront à bon droit naïve et simpliste la façon
dont je parle de *leur* littérature.

Romania et Germania

Aussi, si mon propos a quelque intérêt, d'ailleurs plus
socio-culturel que proprement littéraire, c'est à titre de
témoignage, en ayant soin toutefois de préciser qu'ici le
témoin lui-même compte peu et que seul ce dont il
témoigne pourrait avoir une certaine portée.

Il m'est difficile de ne pas reconnaître ceci : si j'avais vingt ans, je serais très probablement inscrit à un Département d'études allemandes d'une université québécoise ou américaine dans l'espoir d'être un jour germaniste. C'était, je crois, impensable à Montréal en 1950. À défaut de cela, je suis donc devenu ce qu'on appellerait (en exagérant beaucoup) un romaniste. Mais toute ma vie, je le dis sans regret ni amertume, j'ai habité la Romania alors que je rêvais de la Germania. J'ai vécu dans la marge de la Germania, à sa frontière, avec le sentiment de ne jamais y être vraiment entré. Je n'étais guère différent de plusieurs jeunes gens de ma génération, dans ce Montréal des années 1950 si dissemblable, à maints égards, de celui d'aujourd'hui. Fernand Ouellette a témoigné pour nous tous dans son essai publié en 1973, *Depuis Novalis*. Ce livre pourtant si personnel est en même temps l'expression de tout un groupe, d'une partie notable d'une génération.

Pourquoi la culture allemande ?

Mais comment expliquer que nous ayons été si attirés, dans les années 1950, par la culture allemande ? Il y avait, je m'en rends compte aujourd'hui, quelque chose de candide et de touchant dans cet attrait. Si j'allais souvent à *La Petite Europe* (coin des rues Sherbrooke et Bleury) en compagnie de Claude Asselin et de Jean-Louis Dubois, ce n'était pas pour nous mêler aux « existentialistes » locaux mais pour l'unique plaisir de commander à Georg, le garçon d'origine hongroise, d'innombrables cafés viennois en un allemand hésitant qui, lorsqu'il parvenait enfin à l'expression, produisait chez nous une sorte d'étonnement ravi. Georg, sans jamais se départir d'une patiente impassibilité, parlait un allemand laconique qui nous laissait sur notre faim. Très peu portés sur la religion, nous assistions à la messe à Saint-Boniface, avenue des Pins, afin d'écouter le sermon en allemand. Tout cela évidemment se trouvait comme enveloppé par le bourdonnement des questions-réponses de la méthode *Assimil* du bon Monsieur Chérel qui connaissait toutes les langues et qui avait poussé très loin l'art d'introduire dans le discours un arbitraire aussi charmant qu'idiot : « *Der Tee ist gut !* »

Tout se passe comme si la culture allemande avait été porteuse des signes de la profondeur et de l'authenticité. Il est inutile de se demander si cela est vrai ou faux. Nous sommes ici dans le monde des signes, non des choses. Et je ne saurai jamais si notre vision correspondait à la vérité.

Imaginons que l'Allemagne ait joué pour nous le même rôle que la Grèce antique pour Hölderlin, Schiller et Marx : une patrie mythique. Pour rendre compte de ce phénomène de perception culturelle, il faudrait parler de l'ALLEMAGNE COMME LOINTAIN ET COMME PROFONDEUR. La formulation est paradoxale, voire antinomique. La profondeur appelle l'idée de verticalité intérieure, elle se trouve au fond de notre être, tandis que le lointain est ce qu'il y a de plus distant de nous. On admettra qu'il n'y a ici nul exotisme. C'est même tout le contraire de l'exotisme, puisque le plus éloigné serait en même temps le plus intime.

Friedrich/Richter/Thoma

Je sais que Freud a foulé ce terrain dans le *Das Unheimliche (L'Inquiétante Étrangeté)*. Mais il ne s'agissait pour lui que d'un type très particulier de discours tandis que l'attitude dont je parle, c'est la culture allemande elle-même, et singulièrement la peinture, qui non seulement l'éclairent mais la provoquent en nous sur elles. Il y a une structuration récurrente de l'espace chez les peintres romantiques (entre autres Caspar David Friedrich, Ludwig Richter, Hans Thoma) : à gauche au premier plan, sur une hauteur, une figure contemple le paysage ; celui-ci, à droite, apparaît comme une ouverture dans la masse proche des rocs et des arbres sombres. On ne peut être que frappé par le contraste entre la forêt obscure où le contemplateur s'arrête un moment et le clair infini offert à ses yeux. Mais le lointain lumineux ne se confond ni avec le ciel au-dessus de sa tête ni avec l'horizon à la hauteur de son regard, il s'étend à ses pieds, surgissant de l'abîme, de la profondeur. Un bel exemple nous est fourni par *Le Repos des pèlerins* de Ludwig Richter, mais le plus troublant et le plus dramatique demeure les *Deux hommes contemplant la lune* de Caspar David Friedrich. On dirait que la lune sort des entrailles de la terre, cadrée par un arbre ayant la forme d'une harpe éolienne. « C'est l'attention passionnée des spectateurs, observait Marcel Brion, qui crée le paysage. »

Nous étions ce contemplateur. Nous ressemblions au jeune *Wanderer,* au jeune voyageur si fréquent dans les tableaux de Hans Thoma : assis au pied d'un arbre, le sac déposé, il regarde le lointain qui monte dans la toile tout comme la vie intérieure dans son âme… L'Allemagne; la culture allemande, ce fut ce LOINTAIN BLEU… *In der blauen Ferne (Dans le lointain bleu),* tel est le titre d'un poème de Nelly Sachs qui fait écho, pardessus les générations, au *Voyage dans le bleu* de Ludwig Tieck et à la *Fleur bleue* de Novalis.

À ce que nous éprouvions devant ce que nous croyions connaître de la littérature, de la philosophie, de la musique allemandes aurait pu parfaitement s'appliquer ce titre si singulier et si beau d'un poème de Brentano:

> « *Frühlingschrei eines Knechtes aus der Tiefe* » (Chant de printemps d'un jeune homme montant des profondeurs).

La langue

Ce complexe psycho-socio-culturel entraîna une attitude vis-à-vis la langue allemande. Ce fut la langue choisie, non la langue imposée par la naissance ou par les contraintes politiques et économiques. En fait, je n'ai jamais réussi à la maîtriser, malgré *Assimil,* l'Institut Goethe, des cours à l'université, des leçons particulières. J'en connais des bribes. Mais malgré ou plutôt à cause de cela, j'aurais pu faire mien le poème de Borges intitulé *À la langue allemande* (je traduis d'une version anglaise de l'espagnol):

> Mais toi, douce langue de l'Allemagne,
> je t'ai choisie, et tout seul je t'ai cherchée.

Par les livres de grammaire et l'étude
patiente, à travers le taillis touffu des
déclinaisons, et le dictionnaire qui jamais ne
met le doigt sur la nuance précise,
je ne cessais de me rapprocher de toi [...]
Langue allemande, tu es ton propre
chef-d'œuvre...

Plus tard...

En 1970, à l'Université du Québec à Montréal, je donne
un cours un peu curieux : *Les automates dans la littérature d'imagination,* et j'en profite pour faire lire aux étudiants deux œuvres allemandes en traduction : *Sur le théâtre des marionnettes* de Kleist, sûrement un des textes les plus beaux et les plus profonds de la littérature universelle (de grâce, le lire dans la version d'Armel Guerne) ; *L'Homme au sable* de Hoffmann (manipulé un peu grossièrement par Freud).

Aurais-je, sans trop me l'avouer, justifié et construit un cours autour de textes que j'aimais ?

J'inaugure, en 1973, un cours sur la littérature fantastique, ce qui me permet de mettre au programme plusieurs contes d'Hoffmann et de Ludwig Tieck (de ce dernier, entre autres, l'extraordinaire *Runenberg, La Montagne aux runes*). Encore une façon, sans doute, de revêtir les œuvres aimées d'une sanction institutionnelle.

Les séminaires sur le romantisme allemand

Mais l'expérience la plus importante de ce point de vue aura été les deux séminaires sur le romantisme allemand que j'ai co-dirigés avec Fernand Ouellette, toujours à l'Université du Québec à Montréal, à l'automne de 1970 et à l'hiver de 1971. Pendant que le général Trudochet faisait emprisonner plusieurs poètes québécois aux applaudissements de la majorité servile des Canadiens, une petite équipe fervente étudiait les fonctions de la nuit et du rêve dans les poèmes de Novalis. C'était peut-être notre réponse à l'horreur du temps.

J'éprouverais de la difficulté aujourd'hui à justifier le choix des textes. Je le donne ici non pour simplement énumérer des noms mais pour son intérêt documentaire, dans la mesure où il révèle une certaine conception de la littérature allemande : *Les Disciples à Sais, Henri d'Ofterdingen* et les *Hymnes à la nuit* de Novalis ; deux contes de Tieck : *Eckbert le blond* et le *Runenberg* ; *Les Héritiers du majorat* d'Achim d'Arnim ; *Les Scènes de la vie d'un propre à rien* d'Eichendorff ; et *Les Kreisleriana* d'Hoffmann.

Depuis Novalis de Fernand Ouellette

Tout ce qui précède, cette expérience sans nul doute vécue par plusieurs, culmine dans le livre de Fernand Ouellette publié en 1973 : *Depuis Novalis,* né de façon immédiate du séminaire mais de façon médiate de vingt ans de lecture.

Ce commentaire de Novalis est ambigu. D'une part,

il est intensément personnel. On se demande parfois si c'est Fernand Ouellette qui parle de Novalis ou si c'est Novalis qui parle de Fernand Ouellette. La conception du langage et de la poésie qu'a Fernand Ouellette est projetée sur Novalis. Novalis lui-même devient fictif d'une certaine manière comme tout être créé par les mots. Mais d'autre part – et c'est là le paradoxe – cet essai condense l'aventure spirituelle de toute une partie de la génération qui a eu vingt ans en 1950. Il exprime à sa façon ses idéaux.

Or comment cela se peut-il ? Il me semble que bien peu souscriraient à la vision de Fernand Ouellette selon laquelle le poète est un *dépisteur des traces de la présence divine* tandis que le langage, lui, comporterait *quelque chose de sacré...* Cette conception idéaliste de la poésie et du langage est loin d'être partagée par ceux qui furent marqués, comme lui, par la culture allemande. Mais en même temps, ce qui nous est rappelé ici par l'excès peut-être nécessaire de la *hauteur* où se place Fernand Ouellette, c'est qu'il y a quelque chose de grave, de conséquent dans l'exercice littéraire du langage. Ce ne pourrait être un simple jeu, même et surtout lorsque c'en est un... Et notons ensuite que si le poète d'après Fernand Ouellette demeure un « voyant », terme qui convient autant à Novalis qu'à Rimbaud, il ne s'agit pas de la voyance par « dérèglement de tous les sens » pour reprendre les termes du poète français devenus pour nous un cliché. Il est difficile d'admettre que le plus pur, le plus tragique et sans doute le plus grand des romantiques, Robert Schumann, ait mené une existence bourgeoise et ait été aussi docteur en droit. Ceci n'est pas fait pour l'entendement de Jean-Claude Germain.

Mais surtout – et j'arrive à l'essentiel – même si nous ne suivons pas Fernand Ouellette dans sa conception sacralisante, comment ne pas nous reconnaître dans sa tentative (désespérée?) de situer le langage poétique à une hauteur qui le garde des entreprises de dégradation? Ceci n'est pas une métaphore. L'industrie culturelle en Amérique du Nord, au sens que lui donnait Adorno, tend à annexer le langage, tous les langages. Les ravages sont plus grands au Québec. Sa culture marginalisée s'avère incapable de dominer l'industrie culturelle. Ainsi, il existe un rapport entre la marginalité québécoise, porteuse de la différence dans l'uniformité américaine, et la vision élevée du langage comme entreprise esthétique essentielle à laquelle est lié de quelque façon le salut. Or il se trouve que la littérature allemande (notamment à l'époque romantique) exprime de la façon la plus entière cette conception; elle repose sur elle. À un certain moment, une sorte de conjonction s'est produite entre la marginalité québécoise et cette fragilité tragique qui fait vibrer certains textes de Hoffmann, de Tieck, de Kleist, de Brentano comme le cristal du destin.

Maroc sans noms propres

« Allez ! Mimoune… » Dits sur un ton quasi affectueux, ces mots du caléchier enjoignent au petit cheval de hâter le pas. Il trotte entre les ânes et les Mercedes. Au Maroc, j'exagère à peine, il y a ou bien des ânes ou bien des Mercedes. « Allez ! Mimoune… » Mimoune est le seul nom propre (au sens grammatical) que je me sens capable d'écrire car je l'ai appris en position de voyage – même si ce séjour au Maroc fut de courte durée. Il ne m'a pas été fourni par le *Guide vert* avant de partir comme un signe vide à remplir sur place, une étiquette à coller sur des lieux ou des coutumes conformes. Curieuse, cette histoire de nomination. Le nom commun est simplement reçu, avec la classe d'êtres ou d'objets qu'il désigne. On ne demande pas aux choses comment elles se nomment. Les choses ne parlent pas. Mais pour le nom propre, c'est une autre affaire. Il faut le gagner en appelant quelqu'un. Et nous restons dans le doute à son sujet tant que l'*autre* n'a pas répondu. Le nom commun est donné dans le dictionnaire, le nom propre dans le dialogue. Dans l'interaction du discours. Ne pas s'emparer grossièrement du nom propre à une personne ou à un lieu : attendre plutôt qu'ils nous les donnent. Voilà pourquoi le récit de voyage est désormais impossible car le nom propre (c'est l'attribut der-

nier, sommatif, unique, l'ultime cadeau), au lieu de sur-
venir au terme d'une relation vivante, fait partie
maintenant des paperasses et des babioles remises avant
le départ par l'agence de voyage.

J'aurais aimé pouvoir écrire comme jadis :

> Après plusieurs journées d'un trajet difficile, où il fal-
> lut souvent faire halte pour permettre aux chevaux de
> se reposer attendu la chaleur extrême, nous arrivâmes
> en vue d'une ville entourée de murailles roses qui
> nous parut fort grande et très peuplée. De la hauteur
> où nous nous étions arrêtés, je ne me lassais pas d'ad-
> mirer les orgueilleux minarets de ses mosquées, ses
> palais, les foules innombrables sur les places, les vastes
> palmeraies qui la bordent. Nous sommes entrés par la
> Porte Nord, escortés avec la plus vive curiosité. J'ap-
> pris que cette ville était la fameuse Marrakech, vantée
> dans le passé par plusieurs voyageurs…

Une écriture moderne doit renoncer aux noms
propres. C'est une faute de goût, pire, une erreur esthétique. Multiplier les noms propres comme marques
d'exotisme ou de savoir, c'est faire sonner dans sa poche
les piécettes d'un pauvre larcin. Cette nomination
propre est malpropre.

Quiconque veut voir – et comprendre un peu – à
quoi pouvait ressembler le Paris du Moyen Âge ou de la
Renaissance n'a qu'à se promener dans la vieille ville
à Marrakech et sur la grande place qui y donne accès.
Ce *devait* être cela : un lacis inextricable de ruelles
étroites où l'on a peine à avancer tant la presse est
grande : chalands, crieurs, porteurs d'eau, chapardeurs,

batteurs de pavé, ânes ployant sous le faix. Le Paris de
Villon et de Panurge. Les artisans et les marchands sont
groupés par rues ou par quartiers et leurs échoppes
ouvertes – potiers, mégissiers, tisserands, vendeurs
d'herbes, de thériaque, écrivains publics – sont à même
la rue. Couleurs et odeurs vives. Et au-dessus, cette
incessante rumeur de langage. Je remarque combien les
gens, pour se parler, se rapprochent jusqu'à se toucher.
Les hommes s'embrassent, se tiennent par la main. Il
me semble entrevoir, dans cet espace réduit, un réseau
de relations humaines d'une complexité infinie, et des
systèmes de communication si rapides et si efficaces
que nous aurions peine à les concevoir de nos jours.

Au risque de paraître livresque, je prétends que
Bakhtine aurait considéré les bateleurs de la grande
place comme des émules de ceux de la place de Grève à
l'époque de François Ier, quand le peuple se réjouissait
encore sur la place publique. Ce ne sont pas les saltim-
banques, les charlatans, les conteurs épiques et leurs
gestuelles élaborées (évidemment, je n'entends pas le
berbère) qu'il convient de regarder, c'est la foule des
enfants ravis, des rieurs et des rieuses, des vieux monta-
gnards littéralement saisis, captifs, les yeux rivés sur
l'avaleur de feu ou le poète. Structure mentale trans-
historique ou influence du cinéma en mauvaises copies
16 mm le soir dans les villages? Voici deux clowns-
acrobates époustouflants : l'un, haut, maigre, imperturbable ; l'autre, petit, grassouillet, hilare. Il semble
difficile d'imaginer le tandem obligé du burlesque
américain à proximité des arracheurs de dents et des
vendeurs de poudre de corne de rhinocéros.

Le malheur d'être touriste alors qu'il faudrait être

un voyageur! Les signes ne m'arrivent que latéralement, par les interstices que le circuit touristique, qui n'est qu'un circuit d'échanges répétitifs, ne parvient pas tout à fait à boucher. Un adolescent me dit en m'indiquant un marchand de tapis : « Celui-ci, ce n'est pas un Berbère, c'est un Marocain. » Je deviens attentif. Qu'est-ce qui me rejoint ici à son insu? Quelle tension sociale, quelle exclusion font signe? Et un jour, pendant quelques instants, je parviens à m'échapper de la prison touristique : « Les guides mentent », me dit un vieux paysan duquel je n'ai rien à acheter. (C'est un Berbère. Il est venu à la ville il y a dix ans, de sa montagne.) « Oui, les guides mentent. Il n'y a pas de Berbères dans les marchés à Marrakech. Les Berbères sont trop pauvres, ils n'ont pas de capital. Ce sont les *gens de la ville* qui possèdent tous les emplacements. Le pas de porte à lui seul coûte trois à quatre millions. Mais c'est nous, dans nos villages, qui fabriquons les tapis, les armes, les vêtements… Ils sont bien moins chers dans la montagne. La fameuse *criée berbère* (la vente aux enchères des moutons), quelle farce! Il n'y a jamais eu là un seul Berbère! »

Qu'obtient une femme berbère pour le tapis qu'elle a tissé dans son village de la montagne? Comme en contrepoint, ce court dialogue : j'attends qu'elle ait fini ses achats et je dois manifester un peu d'impatience, car le gosse, qui m'observe depuis un bon moment déjà, me dit à voix basse : « Est-ce que tu vas battre ta femme tout à l'heure à la maison? » – Je réponds oui (il le faut bien si je veux connaître la suite. Que toutes me pardonnent! Je n'ai été guidé ici que par l'intérêt de la science). Et l'enfant de reprendre : « Est-ce que tu la bats à mains nues ou à coups de bâton? »

Berbères *vs* Marocains. Citadins *vs* ruraux (et Berbères). Hommes *vs* femmes. L'enfermement touristique laisse sans doute filtrer un peu de réel. Il suffit en revanche de regarder un plan de Marrakech pour que le scandale saute aux yeux : le Club Méditerranée enfoncé comme un coin dans le cœur même de la vieille ville. La porte bien gardée de l'enclave murée donne sur la grande place : premières loges sur la couleur locale avec retrait facultatif et rapide lorsque les mains sales des pauvres se font trop insistantes... Pour aménager ce parc à salauds, on a dû raser une partie de la ville marocaine (les Marocains, ici comme à Agadir, disent la ville *marocaine* comme si tout le Maroc n'était pas marocain).

Je ne suis pas si naïf. J'ai bien vu que le porteur d'eau a au poignet une montre à quartz en dépit du caractère immémorial de ses outres de cuir. Par contre, sans que soient atténués leurs intolérables dénuement et misère, les groupes d'aveugles, d'estropiés, de malades accroupis aux carrefours me font basculer dans les temps bibliques. La vraisemblance narrative des Évangiles comme récits repose exactement sur ce que je vois. Le Christ aurait pu tout aussi bien vivre ici. Je rencontre à chaque pas des infirmes qui tendent leurs bras vers lui, des mendiants le suivent, des malheureux l'implorent. Il prêche sur la grande place, l'un seulement parmi tous les autres bonimenteurs autour desquels le public fait cercle. Comment le distinguer, lui ? Combien cela prendrait-il de temps avant que les riches, les instruits, les « gentils membres » du Club Méditerranée s'en avisent et s'en inquiètent ?

Le rapprochement met à jour une autre dimension qui tient à la proxémique, à l'organisation de l'espace et aux distances entre les hommes. Je l'appellerais la constante du « monde-déjà-là ». Chaque lieu de la vieille ville, si exigu soit-il, renferme toujours des gens qui me paraissent n'être ni des acheteurs, ni des marchands, ni des employés, ni des ouvriers. Ils constituent le « monde-déjà-là ». Quoi que vous fassiez, vous êtes sûr d'avoir des spectateurs. Quoi que vous disiez, vous n'aurez pas à chercher un auditoire. On penserait que c'est là leur fonction : attendre de pouvoir témoigner de ce qu'ils ont vu et entendu. Les fondateurs de religion n'auraient pu réussir sans le « monde-déjà-là ».

Cette réalité explique que j'aie pu échanger des propos assez insolites au cours de la visite (guidée) d'un des palais. Je demande au guide si cette frise sur le mur est de l'arabe classique. Question sottement prétentieuse : ce n'était sûrement pas du crétois tardif. « Mais oui », répond le guide. C'est alors qu'un homme jeune, qui se trouvait dans le « monde-déjà-là », se tourne vers moi et me dit que l'arabe, ce n'est pas comme sa langue à lui, le berbère. L'arabe a une grammaire. Le berbère n'en a pas. Ce n'est qu'un patois. Il aurait fallu à cet instant la faconde généreuse de Gaston Miron, la rapidité des réflexes intellectuels de Jacques Godbout. Mais j'entreprends de le contredire le plus courtoisement possible. Le berbère a sa grammaire au même degré que l'arabe ou le français. Voilà plusieurs preuves par l'absurde. Et le fait qu'une langue possède une tradition avant tout orale ne la rend nullement inférieure. Une langue supérieure ou inférieure, ça n'existe tout simplement pas. Et pourquoi parler de patois ? Une langue, c'est un patois qui s'est fait aider par plusieurs divisions de cavalerie.

Silence. Puis le jeune homme me serre gravement la main, suivi du « monde-déjà-là ». Je le sais, je suis incurablement crédule et sentimental, mais j'ai les yeux humides.

Sur le chemin de l'hôtel – dont le lobby s'orne d'une grande photo du roi –, je réfléchis à cet exemple de rabaissement intériorisé. Je construis un scénario. D'abord des générations d'agrégés humiliant les arabophones avec les prétendues vertus universelles de la langue française, puis, l'indépendance venue, les arabophones scolarisés refilant à leur tour le même mépris aux Berbères, bien écrasés sous le paquet. Je sais ce dont je parle. Je crois connaître ce processus.

J'ai le sentiment que je n'irai plus en touriste dans un pays qui exige, au contraire, que l'on tente de sortir de soi pour devenir un voyageur. Mais j'aurai reçu un coup au cœur. Comptent pour beaucoup dans le choc l'inaltérable gentillesse et l'humour des Marocains, la beauté éclatante (et l'intelligence) des enfants, la grâce empreinte de réserve des femmes, et la finesse, la distinction, la maîtrise de soi des hommes d'âge mûr. Je m'en rends compte mieux qu'avant : les monuments, les musées, les sites ne m'intéressent que médiocrement, bien moins en tout cas que les espaces peuplés d'humains, signes vivants.

II

VOIX

La rue s'allume

*L'odeur des banques se mêle aux brises
de l'enfance.*

FERNAND OUELLETTE

C'est le titre d'une chanson d'André Popp que chante
Pauline Julien. Ce fut aussi le titre (et le thème) d'une
série d'émissions de radio que Jacques Godbout et moi
fîmes en 1959 pour Jean-Guy Pilon, dans laquelle la
chanson composait avec la ville les formes un peu
floues d'une sensibilité qui ne devait plus rien à nos
racines paysannes.

Désormais, il suffit d'une chanson pour que la rue
s'allume.

Je suis fait de chansons. Je les retrouve à tous les
coins de ma vie, acheminant vers moi plus qu'elles-
mêmes, capables de symbioses indestructibles avec tel
événement ou tel visage.

Je serais quitte envers elles s'il ne s'agissait que de
cela. Mais je ne me souviens pas qu'une chanson m'ait
frappé sans que j'aie essayé de la chanter à mon tour,
bien ou mal, juste ou faux, dans ma voiture ou ma salle
de bains, cela importe peu. Ce qui importe, ce sur quoi

je me suis parfois interrogé, c'est ce besoin, ce bonheur de chanter. Vigneault, Fauré, le folklore, Trenet, les auteurs des chansons de Germaine Montero ou de Maurice Chevalier, Schubert et Schumann (je confonds tous les genres, je le sais, ne me le dites pas) sont là, attendant que je me les approprie. Il ne me suffit pas de dire que je me projette entièrement dans leurs œuvres, que par elles, je m'adresse, je parle forcément à quel-qu'un. Cette appropriation indécente et irrespectueuse, je soupçonne qu'elle vise à une fin plus large : jeter dans le monde un rythme, une harmonie, des couleurs pour le reconfigurer selon ce que je suis.

L'acte de chanter est équivoque. Il suppose que l'on sorte de soi-même, que l'on affronte l'autre, l'invisible auditoire. (La plupart des gens succombent à une peur paralysante du ridicule qui les empêche aussi bien de chanter que de faire des grimaces devant la glace lorsqu'ils en ont envie.) Mais en même temps, s'il va vers le monde, c'est pour le mieux désarmer, pour subs-tituer une périodicité rassurante et lénifiante à son arythmie foncière... La chanson est un prolongement de la chaise berceuse, une extension du berceau. C'est avec des chansons qu'on endort les enfants.

Si l'on chantait tant, autrefois, dans les familles canadiennes-françaises, c'est que, peut-être, l'on n'avait rien à se dire.

Je me demande si ma première conscience histo-rique ne m'est pas venue par la chanson. Je fus revan-chard trois quarts de siècle après 1870 lorsqu'enfant, je répétais ces mots que chantait ma mère :

Ils ont brisé mon violon
Parce que j'avais l'âme française…

ou encore :

Sentinelle ne tirez pas
C'est un oiseau qui vient de Fran-an-ce.

Ainsi, je connus l'Alsace-Lorraine avant les Cantons de l'Est. La Conquête échoua à mes rivages grâce à mon grand-père qui se souvenait d'une très vieille chose :

De Lévis à Beauport,
Le sang baignant nos plaines,
Fier Anglais tu promènes,
L'incendie de la mort…
Anglais, Anglais, n'avance pas,
La Citadelle te regarde,
Montcalm est là, monte la garde,
Anglais n'avance pas !

Je sus cette chanson avant de savoir lire. Et lorsqu'on murmurait pour m'endormir :

C'est Pinceau et puis Pincette
Qui voulaient se marier,
Ils voulurent faire des noces,
Mais n'avaient pas de quoi manger…

On ignorait que cette ritournelle nous parvenait du haut Moyen Âge. Je l'ai appris récemment en la retrouvant dans l'*Anthologie de la poésie populaire française* de Claude Roy.

La chanson transmise de cette façon véhicule plus qu'elle-même. J'imagine qu'on n'est pas plus libre envers elle qu'envers ses bras ou ses jambes ou la langue qu'on parle.

J'avais neuf ans lorsque la dernière guerre éclata. De 1939 à 1945, la station radiophonique CHLP serina le répertoire d'avant-guerre, privée qu'elle était de disques de France. Il faut dire que c'était un poste assez pauvre, tributaire de l'ancien quotidien *La Patrie,* forcé de compter surtout sur ce qu'on appelait la « chanson-nette ». La discothèque complète du poste devait bien s'épuiser en un mois et, ensuite, on recommençait, si bien qu'à la fin de la guerre, je savais par cœur un énorme répertoire : Jean Clément, Tino Rossi, La Palma de l'Empire, les premiers Trenet, Maurice Chevalier, Mireille, Ray Ventura, etc.

Pendant ce temps, des millions d'hommes mouraient.

Peu après la guerre, Chevalier et Trenet vinrent à Montréal, chacun avec un nouveau répertoire, Chevalier au *Plateau,* Trenet au *Gayety* qu'aspergeait le « *bubble bath* » de Lili Saint-Cyr. Jacques Normand commençait sa carrière au cinéma *Bijou* et au *Faisan Doré.* Aznavour était parmi nous. Ce fut une grande époque. Je découvrais le *Dichterliebe* de Schumann, les mélodies de Duparc et de Fauré. Cinq ans plus tard : Léo Ferré, Brassens (que j'entendis pour la première fois chez Jean-Guy Pilon) et l'espèce de conscience amoureuse que quelques-uns d'entre nous ont commencé à prendre de la chanson comme phénomène *sui generis* comportant une histoire, des perspectives, des tendances diverses, ce qui nous permit d'échapper au déterminisme linéaire des modes changeantes et des vedettes à la queue leu leu.

C'était nécessaire… Il importe peu que Germaine Montero soit devenue introuvable chez les disquaires. À vrai dire, je donnerais tout Jacques Brel pour *Je peux vous raconter* de Mac Orlan chanté par Montero. Ou pour *La Chanson des Saintes-Maries-de-la-Mer* de Christiane Verger. Ou pour certaines petites choses toutes simples de Louis Ducreux. Nous avons trop de goût pour la chanson pour suivre nécessairement le goût du jour.

Simultanément, je ne saurais me départir envers elle, qui fait partie de la trame et du tissu de ma vie, d'une réserve ambiguë. C'est vers l'attendrissement d'une part, la nostalgie ou la mélancolie de l'autre, qu'elle nous tire constamment avec une sorte de fatalité, une impuissance fondamentale à ébranler, à provoquer vraiment. Là est sa limite, même chez les meilleurs. Le très beau *Flamenco de Paris* de Ferré me paraît plus mélancolique que politique. Je ne crois pas à la révolte de Ferré. Et je prends Brecht plus au sérieux que Kurt Weill.

L'attendrissement joyeux ou triste, ça peut devenir le bercement de l'enfance pour adultes. Rien ne doit déranger l'honnête homme qui dort. D'où l'assez lamentable mollesse et facilité des paroles chez la plupart des chansonniers québécois ou français (Brassens est une notable exception). D'où la perpétuation d'images, de thèmes, de sensibilités dépassés. Le *Bateau espagnol* de Ferré est en même temps une chanson magnifique et la naïve collection des poncifs d'un romantisme essoufflé.

À dose massive comme aujourd'hui, la chanson devient le ronron endormeur des consommateurs satisfaits que nous sommes.

J'en suis là. J'aime la chanson actuelle de toute ma faiblesse.

Pour la nouvelle

Bien des gens s'imaginent encore qu'un écrivain décide d'écrire une nouvelle parce qu'il a le souffle trop court pour écrire un roman ou parce qu'il n'a pas assez d'imagination pour développer un sujet, inventer des péripéties, etc. Or ce n'est pas ainsi que les choses se passent en réalité. La nouvelle et le roman demeurent des entreprises bien différentes ayant des visées distinctes. Il suffit, pour s'en convaincre, de comparer les deux formes dans l'œuvre d'un auteur qui les a pratiquées toutes les deux, par exemple Henry James. Effectivement, lorsque Henry James écrit une nouvelle, il se propose de faire *autre chose* que lorsqu'il écrit l'un de ses interminables romans.

Le mot *interminable* n'est nullement ici péjoratif. Le roman est inséparable de la durée. Il n'existe pas sans elle. Dans le roman, le héros perd son temps au sens littéral, le temps que lui octroie le romancier : trois cents, cinq cents, mille pages… On sait que son chemin au travers des innombrables événements, hasards ou obstacles ne le mènera ni à la certitude, ni au repos, ni au salut. C'est la raison pourquoi Lukács aussi bien que Bakhtine considère le roman comme une forme essentiellement inachevée, un espace jamais clos où le héros perd sa vie *dans la vie*.

Quiconque réfléchit un peu à son expérience de lecture admettra que lire un roman, c'est accepter aussi de perdre son temps, à la façon dont le héros perd le sien et sa vie. C'est décrocher pendant des heures, voire des jours et des semaines, pour suivre quelques personnages fictifs sur la voie de l'échec. Bien plus, tout liseur de romans recherche et chérit cette expérience : se lover, se maintenir interminablement dans le cocon chaud de la durée romanesque. Donc le lecteur, tout autant que le roman, a besoin du temps.

(L'exemple-limite serait peut-être *Moby Dick* de Melville qui exige que l'on s'*embarque* pour une longue lecture à l'instar du narrateur qui s'embarque, lui, pour une longue navigation à la recherche de la baleine blanche…)

La nouvelle, en revanche, n'a pas partie liée avec le temps. Mais attention ! Cela n'a rien à voir, du moins en deçà de certaines limites, avec la longueur des textes. *Le Tour d'écrou* de Henry James, avec ses cent soixante-dix pages, demeure une nouvelle tandis que *Salut Galarneau !* de Jacques Godbout (cent cinquante pages) est indubitablement un roman. Si la nouvelle se dégage pour ainsi dire de la durée, c'est qu'elle tend à déplacer notre intérêt de la conscience du héros vers l'événement, vers ce qui lui arrive, vu non pas comme un des possibles attendus de l'existence mais plutôt comme quelque chose de singulier, d'unique. À la limite, l'événement devient un *cas*. Et il est vrai qu'un grand nombre de nouvelles peuvent se résumer en une interrogation sur les faits et les situations. *Le Tour d'écrou* tient dans cette seule question : est-ce que les deux enfants, Miles et Flora, voyaient les revenants ?

Ce transfert n'est pas synonyme d'appauvrisse-
ment. Il faut bien voir que l'insistance mise sur l'événement (ses circonstances, sa possibilité, sa signification) libère paradoxalement l'écriture de plusieurs des
contraintes de la convention réaliste. C'est un fait que
le roman, en tant que forme, n'échappe pas facilement
au vraisemblable. La durée nécessaire à l'évolution du
héros doit être faite de situations et d'actions ayant un
rapport d'équivalence avec notre propre expérience de
la réalité extra-langagière. Le temps, est-il besoin de le
souligner, apparaît comme un aspect fondamental du
plausible, donc du réalisme. Celui-ci requiert que tout
changement dans la conscience, l'attitude du héros soit
motivé, c'est-à-dire compréhensible en vertu d'événements antécédents (ce qui précisément suppose la
durée). La nouvelle peut fort bien se passer de ce genre
de justifications. Que l'on songe ici aux nouvelles de
Tchékhov : dans *Le Duel,* par exemple, rien n'explique
la transformation soudaine et profonde de Laïevski. De
même, dans l'une des nouvelles d'André Carpentier, *Le
Vol de Ti-Oiseau,* on chercherait vainement des raisons
plausibles à la conduite de Drien.

Mais ce que la nouvelle gagne en liberté sur le plan
des actions, des situations, du décor – le nouvelliste
pouvant ici donner plus aisément libre cours à son imagination que le romancier –, elle le perd sur celui de
l'écriture. Le style d'un grand roman a les longueurs
mimétiques de la vie : il connaît des hauts et des bas,
des voies droites et des méandres, des vivacités et des
pâleurs, l'intérêt et l'ennui. Celui de la nouvelle, étant
donné son rapport spécifique à la durée, ne jouit pas de
ces privilèges. Il vise au serré, au concentré, au soutenu,

tiré soit vers l'extrême économie narrative, soit vers la fulgurance luxueuse du poème. Contrairement à ce qui se passe pour le roman, toute faille et toute chute lui sont mortelles. On comprend aisément que la nouvelle ait fini par devenir la forme quasi obligée de la littérature fantastique.

On dira avec quelque justesse que la nouvelle est au roman ce que le poème bref est à la suite lyrique et ce que l'essai (au sens littéraire) est au traité philosophique. Inversement, l'essai apparaît comme la nouvelle du discours réflexif. En d'autres mots, le *court* et le *long* ne sont pas des manières pour l'écrivain de s'en tirer lorsqu'il est aux prises avec une forme ; ce sont eux-mêmes des formes et peut-être mieux encore, des catégories esthétiques.

Faire court, c'est vraiment faire *autre chose*.

Fonction du fantastique

Pourquoi passer par le plus lointain – qu'on pourrait nommer l'inexplicable menaçant – pour rendre compte de ce qui est peut-être le plus intérieur et le plus immédiat? Dans *L'Inquiétante Étrangeté*, Freud cherche des motifs à cette entreprise singulière qui consiste effectivement à dire le plus rapproché par ce qui se donne comme le plus éloigné de la vraisemblance quotidienne. Mais il n'est pas nécessaire pour cela, comme il le tente envers Hoffmann (celui de *L'Homme au sable*), de reconstituer la vie intime de l'auteur. Le *distancement fantastique,* contrairement à ce qu'on pourrait penser, ne renvoie pas au sujet écrivant de façon plus instante que ne le feraient d'autres procédés et d'autres types de forme.

Cela suffit déjà à invalider une certaine critique dogmatique selon laquelle pratiquer le discours fantastique veut dire fuir la réalité, évacuer tout sens social, se replier sur soi, etc. Au contraire. D'abord, les écrivains ne font pas ce qu'ils veulent, mais ce qu'ils peuvent. Ensuite, les problèmes historiques et sociaux appellent chez eux des réponses dans l'ordre du langage et de l'écriture. Comment ne pas voir que le fantastique donne *forme* aux hantises et aux fantasmes du groupe? Certes, cela ne s'est jamais fait et ne se fera jamais en clair : le texte nous fournit une sorte d'équivalent symbolique du réel, non une copie conforme. Allons-nous exiger du texte ce que nous n'exigeons pas de la société elle-même? Ce qu'elle perçoit le moins, c'est précisément ce qui la hante le plus obstinément. Il lui faut le détour chiffré du discours littéraire, nommément du discours fantastique. Le lieu le plus obscur est toujours sous la lampe tout comme la tache aveugle est au centre de l'œil.

Voilà pourquoi le fantastique, quoi qu'on dise, est un signe de maturité : une société commence à se donner à elle-même le spectacle figuré de ce qui sourdement, profondément, la travaille. On pouvait deviner, il y a quelques années déjà, qu'il allait solliciter de plus en plus de jeunes écrivains québécois (et quelques aînés). (Paradoxalement, la pratique même incertaine de jeunes auteurs peut signifier la maturité d'une littérature.) Ajoutons – vu son importance dans la littérature latino-américaine – qu'il semble entretenir quelque connivence avec les périodes de crise d'identité. Il se construit, ne l'oublions pas, autour de l'irrésolu et de l'innommé, car il suspend toute réponse au doute formulé sur la nature véritable d'un événement ou d'une série d'événements. Brouillant, déplaçant les frontières que la société maintient entre le possible et l'impossible, le concevable et l'inconcevable, il contamine et subvertit les formes aux caractères bien fixés : le discours réaliste, le roman policier, la science-fiction, le merveilleux. Le fantastique est donc lui-même moins une forme qu'une attitude sur les formes.

Le *fantastiqueur,* c'est celui ou celle qui, en notre nom, accepte de ne pas détourner les yeux de la Gorgone.

Littérature et politique

Lorsque je réfléchis aux rapports entre politique et littérature, je ne puis m'empêcher de revenir à cette réponse que fit le Prince à l'Arioste qui lui présentait en tremblant son poème : « Mais de quoi donc vous mêlez-vous ? » Ce ne sont pas ici uniquement les paroles du Prince qui m'intéressent, mais la situation même. L'Arioste sait que son livre s'adresse aux hommes, qu'il a par conséquent quelque chose à voir avec le destin de la Cité, donc avec le Politique. Le geste de soumission au Prince (dont l'écrivain s'approche dans le doute, voire la crainte) engage-t-il l'essentiel ? J'aime imaginer que l'Arioste ne le croit pas, que s'il lui faut ici parler au Prince, au Pouvoir, à *la* politique, c'est pour maintenir dans la Cité le lieu d'une *autre* parole qui, elle, n'a rien à dire au Prince, au Pouvoir, à *la politique*. Et c'est là le scandale. Là réside le danger. Le Prince le sait fort bien qui demande avec hauteur : « De quoi vous mêlez-vous ? » Strictement cela signifie : « Je suis *aussi* le maître du langage, or je ne vous ai rien demandé. » La terrifiante et aveugle perspicacité du Pouvoir qui organise et administre ! Le Prince aurait pu ajouter : « À quoi donc prétend cet exercice verbeux, complaisant, inutile, gaspilleur du langage que vous nommez littérature ? »

À rien, affirmerions-nous aujourd'hui, sinon que l'homme s'y veut et s'y éprouve comme désir et comme liberté; et s'il se mettait alors à appeler une Cité meilleure, plus libre? Si le Politique allait faire signe à une *autre* politique?

Exercice du langage pour lui-même et en lui-même, la littérature n'est pas pour autant autonome. Elle signifie toujours le réel (plus précisément l'homme et la société). Par elle, le réel s'actualise. Je n'hésite pas à donner une portée générale au mot magnifique de Foucault: « La nervure verbale de ce qui n'existe pas, tel qu'il est. » Abondance d'une pénurie, luxe d'un manque, totalité extensive de la limite (l'injustice, la détresse, la mort), elle ne se prête pas, dans le cas des œuvres les plus exigeantes, aux entreprises d'intégration; ce n'est que matériellement qu'elle constitue un aspect de l'idéologie; tandis que le Prince veut la conscrire à ses fins, que d'autres crient: « L'ennemi est aux portes, la Cité brûle! », Rabelais joue avec son tonneau diogénique et Fernand Ouellette écrit: « J'assemble mes mots comme des pétales sur la catastrophe. »

Le poétique n'est pas réductible au politique. Quand on l'aura vraiment compris, on se rendra compte que, paradoxalement, même la grammaire est politique (et aussi morale).

La littérature n'est pas de soi efficace. « L'écrivain, rappelle Aragon, est là pour rendre à l'humanité un service bien plus général que celui du moment. » La plus haute, la plus terrible exigence pour un écrivain, c'est de ne jamais tricher avec les mots, et cela en fonction d'une nécessité non pas extérieure mais immanente à l'écriture. Mais entre ceci et le fait que la littérature signifie l'homme et la société (elle ne les « représente » pas, il s'agit d'un processus beaucoup plus complexe), il subsiste un hiatus théorique que je n'ai pas comblé pour ma part. Si l'écrivain est libre de tricher ou pas, c'est-à-dire d'être ou de ne pas être un écrivain, le texte, lui, signifie nécessairement. C'est la complexité, la richesse et la valeur du signe qui se trouvent ici en cause. Or signifier et communiquer, quoique liés, ne sont pas identiques. Comment communiquer (*i.e.* être efficace) sans réduire ni clore la signification, sans « diminuer, pour reprendre les termes de Jacques Brault, la charge de probabilité du discours littéraire » ? Il est difficile de résoudre ce problème sur le plan théorique.

C'est par le jeune Lukács (pour lequel j'éprouve une grande admiration), à un moindre degré Goldmann, et aussi par Auerbach et Bakhtine, que m'est parvenue principalement la conception marxiste de la littérature. Elle transporte certaines notions très larges, très fécondes et très « opératoires », comme par exemple celles de totalité, multiplicité, devenir, etc., qui se sont trouvées à répondre à un certain moment à ma propre expérience de la lecture et de l'écriture. Ce sont des concepts critiques. Ils privilégient le multivoque par rapport à l'univoque et tendent à récuser toute vision fragmentée, mutilée, donc aliénante de l'homme.

Si la littérature n'a pas pour finalité d'être efficace (j'estime à la suite d'Adorno qu'elle n'est pas « intégrable »), elle peut sûrement, comme je l'ai suggéré plus haut, favoriser l'apparition et le nécessaire rapprochement d'un certain nombre de conditions d'ordre intellectuel et psychologique qui, elles, permettent et même hâtent les changements sociaux et politiques. Ce faisant, la littérature n'obéit pas à des consignes; bien au contraire, elle se conforme à sa fin propre. Or au Québec, à l'heure présente, aussi bien les déclarations d'un certain nombre d'écrivains et d'intellectuels que diverses pratiques littéraires récentes dénotent la persistance, sous des aspects superficiellement nouveaux qui donnent le change, d'attitudes fatalement vouées à bloquer tout changement effectif: passéisme mystificateur, mutilation folklorique, dogmatisme, peur et refus de l'étranger, repliement autistique accompagné de mégalomanie puérile, méfiance envers toute ouverture critique au nom d'une sorte de spontanéisme qui ne fait qu'exprimer la plus grande complaisance et la pire satisfaction de soi. Ceci n'est pas une charge. Des chroniques de Victor-Lévy Beaulieu (où l'on compte plus de verbes à l'impératif que dans les sermons des curés d'autrefois) à la position de certains groupes d'étudiants refusant de « travailler » les poèmes de Miron sous prétexte qu'ils ne sont pas écrits en joual, ce sont, à des degrés divers, les mêmes réflexes qui reviennent. Voilà pourquoi je considère que tout roman, poème ou essai écrit ici qui témoigne à la fois d'une victoire sur l'informe et d'une appropriation directe, franche et lucide de l'ensemble de la réalité (Fernand Ouellette a publié un ouvrage sur Novalis sans s'excuser) ne peuvent que hâter un déblocage mental et affectif sans lequel on continuera, sous des dehors prétendument modernes, à ne pas vouloir au fond mettre fin à l'ancien ordre des choses, le tout se résolvant sur un plan qui demeure purement symbolique, comme on peut déjà le constater.

La question du joual illustre de la façon la plus pertinente ce que je viens de dire. Ce n'est pas le joual qui
fait problème, c'est ce qu'on veut en faire. Reposons des
évidences : il était sûrement temps que nous perdions
nos complexes et que nous assumions notre langue
particularisée par l'éloignement, l'espace et la domination socio-économique étrangère. D'autre part, si je ne
sais trop ce que le terme « joual » recouvre, je sais cependant qu'un écrivain est moins libre qu'on ne le croit
envers la langue de sa société : on ne me fera pas dans
un roman écrire « fraiseuse » à la place de « souffleuse »
même si ce dernier mot est un calque de l'anglais. Mais
ceci dit, on ne peut pas fonder une politique là-dessus !
Car alors on réduit l'homme à une de ses particularités
et on le prive des moyens qui lui permettraient justement de repenser pour la transformer l'ensemble de sa
condition. Henri Bélanger, Victor-Lévy Beaulieu, les
écrivains et journalistes qui s'emploient à convaincre le
peuple que le français est une langue morte (le joual,
lui, serait vivant : mais partout au monde la langue
populaire est vivante !) ou qui utilisent le joual par
complaisance, facilité ou mépris du français, disent très
exactement la même chose que les possédants qui nous
répètent qu'après tout, le français est impropre à l'économique, à la technique, à la modernité. Je le dis carrément : c'est une sale besogne. Dans les deux cas, sous le
couvert de préjugés assez grotesques (le français n'est
pas moins vivant ou moderne que l'italien et l'allemand), c'est une même politique qui transpire : empêcher une communauté d'accéder au pouvoir en lui blo-
quant l'accès au langage ; folkloriser sa langue pour
mieux l'endormir tout en faisant mine de la glorifier ;

réserver en dernière analyse l'entière possession du langage à une élite.

À l'heure présente, notamment en France à la suite de l'intense effort de réflexion critique des dix dernières années, le texte littéraire se trouve au centre d'un nouveau champ d'objectivité qui tend à englober la pratique de l'écriture elle-même. À la limite cependant, ainsi que le faisait remarquer Michel Deguy, « un texte homogène à une textologie scientifique est autre chose qu'un poème ». Les notions de transgression du code, de distorsion, appellent une théorie du texte et de son fonctionnement. Mais l'écriture tend à l'interdit et à la transgression (voir là-dessus les remarques de Bataille) sans devoir être une méthode. Il lui suffit d'être une passion. Par exemple, ce n'est pas parce que Bakhtine a construit la théorie d'une vision carnavalesque pour rendre compte de certains textes qu'un poète peut espérer « carnavaliser » ses poèmes ! En Amérique, lieu de la modernité vécue, la littérature a peut-être moins besoin qu'en Europe de la médiation d'une modernité critique, comme en font foi d'ailleurs les formes actuelles du roman, aussi bien au nord qu'au sud. Ceci suggère que le vécu en Amérique, à cause de ses transformations rapides, de sa complexité et de ses contradictions, exige une prise de conscience sans cesse renouvelée, et favorise une littérature qui non seulement interprète la réalité sociale mais le fait en des contenus toujours nouveaux.

Petite grammaire
de la solidarité avec le peuple

Ailleurs peut-être d'Amos Oz est un roman *sotto voce* de la vie au kibboutz. On conçoit aisément qu'un sujet pareil aurait pu être traité sur le mode héroïque, voire épique. Sans doute aurions-nous eu une œuvre digne d'intérêt. Le risque toutefois pour l'écrivain, lorsque la gravité des périls impose le devoir de la solidarité, c'est qu'il soit amené à faire carrière dans la noblesse de ton. Dans ce cas, un certain type de langage finit par s'engendrer lui-même, sans autre nécessité que sa propre satisfaction, sans rapports avec la complexité, la mobilité et les contradictions de la vie individuelle et sociale.

Comment être manifestement solidaire du groupe dans la distance et qui plus est, dans une distance ironique, parfois cruelle? Amos Oz y réussit et cette espèce de pari tenu et gagné m'a intrigué tout au long de la lecture. Il ne faut pas sous-estimer au départ la lucidité et la force de cette ironie dont on vient de parler :

> L'état-major vient de nous faire connaître sa décision : notre kibboutz est chargé de défricher un lopin de deux hectares environ, au sommet de la montagne. Ce

coin de sol est l'objet de conflits sanglants entre les deux pays voisins. Que le bon droit, juridiquement, soit pour nous, le tracé des cartes géographiques en apporte la preuve. Mais la réalité est bien différente : depuis des années ce doigt de terre est cultivé par des fellahs qui descendent des crêtes sous la protection du feu ennemi. Après mûre réflexion, il a été décidé de réconcilier la théorie et les faits : nous nous assurerons la maîtrise du territoire. La sécurité en incombera, bien sûr, aux forces armées.

Cette réussite d'Amos Oz repose nécessairement sur une mise en œuvre du langage. Ainsi le narrateur est multiple, il dit NOUS, jamais JE. Par l'emploi du collectif pluriel, il évite de se poser comme un JE distinct du groupe menacé, extérieur à lui, le regardant et le jugeant du dehors. Mais cette solidarité – en premier lieu langagière si l'on peut dire – ne s'étend pas qu'aux membres de la communauté, elle englobe le lecteur. Ceci est encore plus marqué lorsque le NOUS appelle explicitement le VOUS : « Tous les gens disponibles participent aux travaux saisonniers car le temps presse. Nous allons aussi nous y mettre, patientez un peu. » Que devient une ironie exprimée par un NOUS qui comprend à la fois celui qui parle, celui dont on parle et celui qui est pris à témoin ? Elle cesse d'être un point de vue individualiste et privé sur le monde. Elle atteint l'universel car elle se change en ce qu'on pourrait nommer une IRONIE DE PARTICIPATION. Elle exclut au surplus toute intention satirique, la satire étant le fait du JE, non du NOUS. C'est vers l'humour qu'elle tend parce qu'empreinte de lucidité partagée. Et la lucidité partagée a plus à voir avec l'amour ou du moins la tendresse qu'avec l'orgueil et le mépris.

Amos Oz, avec une rigueur remarquable, n'esquive aucune des contraintes langagières de la *distance solidaire*. Le JE, lors même qu'il se perd dans le NOUS, sait des façons de refaire surface. C'est lui après tout, comme chacun sait, qui choisit et présente les images, avec insistance ou non, images banales ou recherchées, singulières ou impersonnelles. Mais le narrateur pluriel et collectif, le NOUS, ne saurait s'en remettre, pour ce choix et cette présentation, à un seul JE. Les images dans *Ailleurs peut-être* ont la particularité d'être à la fois traditionnelles et très circonstanciées. Unissant l'impersonnalité de la tradition au réalisme détaillé de la vie concrète, elles ne sont guère rapportables à un seul « Je » qui afficherait forcément des goûts ou des partis pris esthétiques ; en fait, elles font place à tous les JE de la communauté sur le terrain objectif de la tradition. J'imagine que des spécialistes pourraient évoquer ici l'héritage de l'hébreu classique. Je n'en sais rien, je me souviens cependant de ce texte où Borges disait aimer revenir aux images de l'origine, que la source fût biblique ou homérique : « Les étoiles dans le ciel sont comme des yeux qui nous regardent. »

———

Être solidaire sans être complice grâce à l'ironie ou à la franchise et malgré elles, aimer assez ceux qu'on combat pour savoir se méfier de ceux qu'on aime, cette attitude pourrait facilement devenir très inconfortable lorsque toute une société doit vivre longtemps unie dans la lutte. Pourtant, comment en envisager une autre pour un écrivain sérieux? Les solutions qu'apporte Amos Oz sur le plan strict du langage incitent à réfléchir encore à la vieille question des rapports entre roman et société et à cette autre question non moins vieille du rôle social de l'écrivain. Dans *Ailleurs peut-être,* si le narrateur dit constamment NOUS, par contre certains protagonistes disent JE. C'est le JE du monologue intérieur. Or il n'est affecté d'aucun signe diacritique. Et il n'y a pas de transition entre la narration et le soliloque, entre le collectif et l'individuel; on passe brusquement de l'un à l'autre. Certes, la rupture soudaine suffit sans doute à alerter le lecteur. Il reste que la suppression du rituel de la prise de parole a un effet très net : ce n'est pas le JE qui se dresse devant le NOUS pour s'affirmer en s'exprimant, c'est le NOUS qui cherche à se faire attentif à la parole du JE, à la surprendre même. Si nécessaire, le NOUS prêtera des mots au JE : « Nous sommes là pour écrire de belles phrases. Mais nous ne nous dérobons pas non plus à notre mission. Nous avons exprimé au nom de Hassia, ce qu'elle ne dit pas elle-même. »

En dernière analyse, le groupe devient sujet et objet à la fois. Il se dit à lui-même ce qu'il se voit être, globalement ou en chacun de ses membres. La distance qu'instaure le caractère critique, ironique, sans complaisance du constat est une fois encore abolie. Y parvenir comme le fait Amos Oz suppose beaucoup de conscience et de maîtrise. Il se pourrait que le NOUS soit plus difficile que le JE. Et l'abandon au langage et à l'écriture n'y mène peut-être pas : « Écrire, avoue Amos Oz, c'est conduire un camion sur une pente vertigineuse, le pied sur le frein, les dents serrées, les sens tendus à l'extrême. Un froid glacial rampe dans le dos. En même temps, le précipice attire, pousse à lâcher le frein, à se jeter dans l'abîme fascinant. On est pris dans les rets invisibles de la folie. On est envoûté par les mots… »

Il est clair que pour Amos Oz, l'expression romanesque de la solidarité avec le peuple (ici les paysans du kibboutz) passe par une certaine manière de poser et de résoudre des problèmes de langage. Or ceci n'est pas uniquement une affaire de mots, c'est-à-dire de choix de termes, de graphies, etc. Les romanciers de la bourgeoisie semblent le croire. Ils cherchent à se réclamer du peuple et s'emploient tant bien que mal à produire ce qu'ils croient être son langage. Mais sauf exception, du fait même de leur appartenance sociale, il leur est indispensable d'intervenir constamment dans le texte prétendument dicté par la collectivité (précisions, narrations d'événements, commentaires, etc.). On est en droit de parler d'interventions ou plutôt d'intrusions dans la mesure où, dédaignant alors le langage du peuple qu'il prétend exalter, l'auteur affiche un autre code, celui de sa classe. Or ce changement de code est nécessaire : les élégances discursives ont comme fonction d'assurer entre l'auteur et les lecteurs de son milieu le degré de connivence qui leur permettra d'admirer *ensemble* le peuple et son langage, mais à distance, avec toute la distance convenable, devrais-je dire. La structure de ce genre de roman où la collectivité prend supposément la parole est rigoureusement identique à ce qui se passe dans un salon bourgeois lorsque les gens se targuent de leur amour du peuple et que quelqu'un, pour ne pas paraître en reste, se croit obligé de parler grossièrement. À la lumière de cet exemple quelque peu théorique, on verra mieux la portée de l'effacement des distinctions de plans chez Amos Oz. Certes, nous avons là le résultat de certaines décisions qui ne sont opérantes que pour *Ailleurs peut-être.* Mais quels que soient les choix qu'on arrête et les procédés qui en découlent, on ne peut tenter sérieusement de donner la parole au groupe sans que cela s'inscrive dans la structure même du texte, sinon celui-ci, comme nous l'avons vu, ne fera que reproduire (parfois à l'insu de l'auteur) les différences et les distances qu'on cherchait à supprimer.

Or laisser la parole à la communauté, c'est la lui laisser TOUT ENTIÈRE. Si langage du peuple il y a, il ne peut souffrir le partage. L'égalité, comme en témoigne l'œuvre d'Amos Oz, doit commencer dans le langage.

Et la morale dans la grammaire.

Petite essayistique

Commençons par une banalité : le romancier et le poète ne sont pas plus des écrivains de première main que l'essayiste (ou le critique). On entend encore dire dans notre milieu : « Nous, les poètes et les romanciers, nous travaillons avec la vie tandis que vous, pauvres essayistes, vous travaillez avec ce que nous faisons. » Mais ce qu'on oublie, c'est que les romanciers travaillent aussi avec ce qui a été dit et écrit avant eux, si bien qu'ils ne jouissent pas d'une sorte d'antériorité métaphysique ou de droit vis-à-vis de ce qu'on pourrait appeler la vie ou l'art ou la substance première de l'art. La plupart des critiques et des essayistes – du moins je l'imagine – sont conscients du caractère nécessairement second de leur entreprise. Mais dites à l'un ou l'autre de nos romanciers locaux : « Votre roman se présente comme le réarrangement d'une certaine écriture et de quelques thèmes dont les prototypes ont paru il y a dix, vingt ou trente ans », vous risquez fort de faire l'objet de sévices. Il faut leur pardonner. Ils ne le savent pas ou feignent de l'ignorer.

Un écrivain est toujours d'abord et avant tout un réécriveur. Nulle indignité dans cela. Les auteurs ne s'en sont jamais cachés jusqu'à une date récente. L'essentiel n'est pas là. Il est dans le fait d'assumer la fonction esthétique. Ce n'est pas rien.

Donc, pour en finir avec cette banalité, la distinction entre « créateur », d'une part, et critique, de l'autre, se révèle maintenant tout à fait désuète et quétaine puisque le roman moderne ayant évolué pour comporter de plus en plus une dimension critique, la critique ayant évolué aussi pour devenir une aventure de l'écriture, il s'avère bien malaisé de séparer les deux pratiques. De sorte qu'aujourd'hui, un essayiste est un artiste de la narrativité des idées et un romancier, un essayiste de la pluralité artistique des langages. Le roman est mangé par l'essai (*Le Choix de Sophie* de Styron, *La Mort vive* de Ouellette), l'essai verse dans la fiction (Vadeboncœur, Borges).

Il y a dans l'essai une histoire, je dirais même une intrigue, au sens que l'on donne à ces mots quand on parle de l'histoire ou de l'intrigue d'un roman et d'une nouvelle. Ce qui déclenche l'activité de l'essayiste, ce sont tantôt des événements culturels, tantôt des idées émergeant dans le champ de la culture. Mais pour qu'ils puissent entrer dans l'espace transformant d'une écriture, il faut que ces idées et ces événements soient comme entraînés dans une espèce de mouvement qui comporte des lancées, des barrages, des issues, des divisions, des bifurcations, des attractions et des répulsions. Voilà qu'ils se conduisent au fond tels les personnages de la fiction et qu'ils nourrissent entre eux des rapports amoureux, de haine, d'opposition, d'aide, etc. Il se produit une réelle dramatisation du monde culturel et je parierais qu'à la fin, il existe des idées gagnantes et des idées perdantes. Une idée suscite le goût d'écrire, une idée fait en sorte que le vouloir-écrire chez l'essayiste devient plus fort que le non-écrire, et cette idée va rencontrer toutes sortes d'obstacles comme le héros du roman. Idée ou héros problématiques...

Quel événement? Quelle idée? Pensons ici à un événement culturel réel ou possible, à une idée courante ou nouvelle ou surgie tout à coup dans l'esprit de l'essayiste. Ils ne sont pas immatériels. Ils ont une couleur, une chaleur, des contours, presque un poids physique. L'idée la plus abstraite, pour l'écrivain passionné d'abstraction, devient vivante de cette abstraction même. Il peut même arriver que l'essayiste parte d'un titre qui l'attire, le sollicite à la manière de la nuance d'une couleur pour le peintre ou d'un accord chez le musicien. Tout l'essai consistera justement à permettre le plaisir d'un titre convoité (le lecteur ne s'en rend pas compte). On dira qu'ici l'essai se cherche des mots et des idées.

(Il m'est venu il y a quelque temps un titre qui me plaît beaucoup : « Sur un adage d'Érasme ». Je compte écrire bientôt un essai afin de pouvoir l'utiliser.)

Admettons donc qu'il s'agit d'idées érotisées opérant sur l'essayiste à la façon de fantasmes. Elles reviennent, elles le hantent. Il garde l'idée en lui comme dans une sorte de champ magnétique élémentaire où il sent des circuits s'ébaucher, des possibilités qu'a l'idée de s'orienter, de se connecter à d'autres idées. Pendant cette période de maturation, attentif aux déclics, aux trajets, aux ouvertures et aux fermetures, l'essayiste décidera si tout cela est assez vif, rapide, nombreux, inattendu, complexe pour donner lieu à la forme d'un essai ou plutôt au parcours d'un essai. On se rappellera l'étymologie latine du mot « essai », *exagium,* lui-même dérivé du verbe *exigere,* lequel a deux sens : *peser* (l'essai « pèse » les idées ; l'*examen,* forme savante d'*exagium,* « pèse » les mérites des candidats) et *chasser hors d'un lieu* (d'où l'*essaim,* forme non pas savante mais populaire d'*exagium*). L'essai n'est pas une pesée, une évaluation des idées ; c'est un essaim d'idées-mots.

Tout le monde le sait : les écrivains font du neuf avec les discours de leur société. C'est l'indispensable environnement de langage sans lequel nous ne pourrions même pas commencer à écrire le début d'une phrase. Mais l'apparition d'essayistes dans la littérature suppose une condition supplémentaire : que la teneur en culture du discours social ne se situe pas au-dessous d'un certain seuil. Car l'essayiste, lui, travaille plus spécifiquement avec le langage de la culture. Et il m'apparaît évident qu'une société où les signes de la culture sont raréfiés produira peu d'essayistes. Il serait facile d'imaginer la culture comme un gaz rare dans une société saturée de discours sportifs, publicitaires, etc.

La formation d'un essayiste exige beaucoup plus de temps que celle d'un poète ou d'un romancier. Je le dis sans ironie. À dix-huit ans, on peut être Rimbaud, on ne peut pas être un essayiste. La raison en est simple. Je le répète : l'essayiste travaille dans le champ culturel avec les signes de la culture. Il a le bonheur d'habiter la sémiosphère. Or la connaissance et la maîtrise des langages qui composent le monde culturel se révèlent une entreprise infiniment plus longue que la connaissance et la maîtrise des formes romanesques destinées à représenter les langages sociaux de l'existence. C'est pourquoi, souvent, l'essayiste ne commence à se sentir écrivain que tard dans la vie.

L'essayiste aime parfois prendre des questions en apparence compliquées et leur donner une autre sorte de confusion que la confusion reçue. Mais inversement, il peut lui arriver d'être possédé par le démon de la clarté, de la logique, du démontrable. Il ne faut pas hésiter à parler ici d'obsessions. Il existe des désirs du clair, du parfaitement articulé. Ce sont des déclencheurs et des moteurs de l'écriture. On doit les respecter au même titre que le goût de la couleur mauve chez Flaubert écrivant *Madame Bovary*. Nous avons ici des phénomènes du même ordre. Ce qui est de l'ordre du fantasme est ancré dans les réalités les plus matérielles et les plus profondes de nos vies. Selon certaines vues courtes et superficielles, la passion de clarté chez l'essayiste aurait un vecteur idéologique, elle révélerait un esprit cartésien, réactionnaire, teinté de « chauvinisme mâle ». Et si l'essayiste qui semble se battre contre la confusion instaurait lui-même cette confusion pour éprouver le plaisir de la dissiper ? En fait, l'essai est un outil de recherche. Quiconque l'a pratiqué sait qu'il lui permet de trouver.

Portrait du prof
en jeune littératurologue

(*circa* 1979, détails)

Le temps des causeries ne reviendra plus

Lorsque, vers 1970, je suis arrivé à l'enseignement, l'époque finissait où les marques *Prof de littérature, Journaliste, Français, Intellectuel, Poète,* étaient à peu près commutables. Mais depuis, cette fameuse planque devient méconnaissable.

Enseigner la littérature à l'université, c'est désormais une activité spécifique garantie par une technicité pertinente (largement empruntée, personne ne l'ignore plus, aux sciences humaines). Voilà le prof comme spécialiste des textes, celui qui justement procède à leur examen spécialisé, pour tout dire : un littératurologue. Ce n'est pas n'importe quoi. Mais cette différenciation fonctionnelle survenue dans un champ naguère homogène ne fait que mettre en lumière une propriété déjà constante de la littérature dont on pourrait rendre compte par cet aphorisme : *il n'y a littérature que lorsqu'on en parle.*

L'alibi de la recherche

La recherche est un thème obsessionnel de la conversation universitaire. Chaque fois que je l'entends, la question de Barthes me revient : « Qu'est-ce qu'une recherche ? Pour le savoir, il faudrait avoir quelque idée de ce qu'est un résultat. »

Misère de la théorie

Lorsque quelqu'un écrit : « J'ai tenté tout au long de ces essais d'utiliser les mots de tous les jours [...] je ne prétends pas ici faire œuvre de théorie [...] », il convient de se méfier : quelque chose de mou s'annonce qui a partie liée avec une visée opprimante. La mollesse théorique n'est pas le contraire de la raideur oppressive : elle en est plutôt la figure. Le cas auquel je me réfère ici a retenu assez longuement l'attention de Robert Melançon, à l'été de 1979, dans les pages du *Devoir*. Vous commencez par publier un livre muni d'un dispositif bibliographique important par lequel vous signalez votre « modernité » critique : caractère intransitif du texte, importance du signifiant, polysémie, etc. Mais à l'abri sous cette couverture théorique, vous vous mettez à faire précisément le contraire de ce que vous annonciez. Vos « critiques » platement dénotatives, centrées exclusivement sur les évidences de ce qu'on appelait autrefois le « contenu », paraissent grossières à côté de celles de Mgr Camille Roy. On imagine en effet tout ce qu'il faut de science, d'imagination, de subtilité pour trouver du nationalisme chez Lionel Groulx ou de l'idéalisme chez

Fernand Ouellette. Bref, cela a donné des morceaux d'anthologie telles les listes diocésaines de « bons » et de « méchants » parues dans la défunte revue *Chroniques*. Cette opération terminée, vous donnez résolument congé au théorique puis rejoignez avec empressement la bande des joyeux dériveurs. « On paye cher, disait Cioran, le système dont on n'a pas voulu. »

Un texte n'est pas limité par une surface fermée

Seule une sémiotique ingénue, qui s'imagine que les œuvres littéraires sont comme des tabatières musicales, peut croire à leur clôture. En fait, on ne sait pas toujours où commencent un poème, un roman, où ils s'arrêtent. Ce qu'on sait, en revanche, c'est qu'ils apparaissent comme des sortes de concrétions esthétiques du dis-cours social (pris dans son acception la plus large). Pour donner un exemple, *D'Amour P. Q.* commence proba-blement vers 1934, au temps des *Demi-civilisés*, et il est loin d'être terminé. Enseigner la littérature, c'est faire en sorte que certains textes ne s'achèvent pas.

Prospectus pour une capitale portative

Édouard Glissant disait : « Il faut avoir sa capitale en soi-même. » Sinon, on se surprend à éternuer à Mont-réal parce qu'à Paris, quelqu'un s'est refroidi les pieds. Exemple : quatre ou cinq ans après la dispute Barthes-Picard qui opposa la nouvelle critique à l'histoire litté-raire, on vit de petits Barthes chercher querelle ici à de petits Picard. En fait, ni les uns ni les autres n'étaient Barthes ou Picard ; le plus curieux, c'est que personne dans notre milieu ne faisait de l'histoire littéraire. S'il s'en était trouvé un, il aurait fallu, au contraire, l'encourager à persister.

L'enseignant comme musicien

Ce qui ressemble le plus au prof de littérature, c'est le musicien interprète. Le rapprochement suppose le cours dit magistral (ou le texte critique). Et on devrait dire exécutant au lieu d'*interprète,* car ce dernier terme prête à confusion : interpréter un texte et interpréter une sonate ne sont pas tout à fait des activités du même ordre. Mais ces différences superficielles recouvrent des similitudes profondes. Concevons que notre musicien exécutant est au surplus un musicologue comme il arrive souvent aujourd'hui. L'acoustique et la musicologie sont à l'exécutant musical ce que la linguistique et la sémiologie sont à l'exécutant littéraire. Les deux, si l'on y pense un peu, engagent en leurs pratiques respectives quelque chose de substantiel qui tient à l'être même de la musique, de la littérature, et qu'on ne retrouve pas au même degré dans la simple lecture d'un poème par un comédien. Certes, comme chacun sait, le musicien interprète *réalise* un langage premier dont les unités sont non seulement asémantiques mais régies par une grammaire qui échappe, ainsi que sa notation, à la majorité des gens. La littérature, au contraire, est un système second : ce système, on aimerait parler aussi à son sujet d'asémantisme s'il pouvait se dissocier plus aisément d'un langage porteur (le français) que tout le monde lit et comprend et qui, lui, précisément, se trouve doté de signification. C'est dans la mesure où il est aux prises avec ce langage secondaire que l'on peut comparer l'enseignement de la littérature à l'interprétation musicale, car il se passe là quelque chose qui n'est pas sans homologie avec l'exécution d'une partition. La différence qui subsiste est instrumentale : le prof ne peut actualiser directement, sans relais, les figures, les formes, les rapports, les intensités, les modulations, les timbres du système de l'œuvre, il doit les décrire, les *doubler* en quelque sorte ; le *tremblé* esthétique du roman ou du poème se trouve pour ainsi dire rendu par la tension entre le langage-sujet du prof ou du critique et le langage-objet du texte. Mais compte tenu de ces distinctions, on peut dire que *S/Z* de Barthes est une éblouissante exécution moderne d'une partition balzacienne ou encore qu'Albert Béguin parlait des Romantiques à la façon dont Schnabel ou Gieseking *jouaient* Beethoven et Schubert.

Le marxisme à sécurité maximale

Le marxisme comme façon de ne pas douter, de ne pas s'interroger, de ne pas s'étonner, de ne pas chercher, de ne pas PENSER, je l'aurai souvent aperçu, fasciné, dans des cours, des séminaires, des colloques, des revues.

Les facéties opprimantes

Le cours, espace festif, utopique, appelle paradoxalement une certaine gravité. Elle est incompatible avec les blagues, plaisanteries, numéros divers par lesquels le discours du prof, souvent, cherche à atténuer son caractère hégémonique. Profiter d'une position institutionnelle de parole pour mettre les rieurs de son côté, c'est en définitive être oppressif. Cela se nomme un abus de privilège.

Ne cherchez pas le sujet

On ne sait pas encore comment l'ébéniste est dans le meuble, l'ouvrier dans le produit, l'écrivain dans *son* livre.

III

DÉBATS

Avant le référendum de 1980 : l'esthétique du «OUI»

D'où vient que mon adhésion profonde et inébranlable à la cause de l'indépendance semble ne pouvoir se justifier, en dernière analyse, qu'esthétiquement? C'est une sorte d'esthétique élémentaire de l'existence qui me contraint de dire : je ne puis pas, sur une question aussi importante, me trouver du même côté que le cardinal Carter, Marc Lalonde et Roger Lemelin, le président de la Banque Royale, Charles Bronfman, Claude Ryan, Marc Carrière et Paul Desmarais. Ce serait là une trahison – non pas nationale – je déteste la notion et les termes – mais une trahison envers moi-même. Sans compter, comme le soulignait Pierre Vadeboncœur, que ce à quoi s'opposent si fortement le Conseil du patronat et la Chambre de commerce a de fortes chances d'être à l'avantage de beaucoup de monde.

Les grands possédants, les grands intérêts, les hommes de pouvoir, les multinationales sont CONTRE. Esthétiquement, on ne peut être que CONTRE ce CONTRE. Il s'agit d'une espèce de plausibilité structurale du mythe. Qui prendrait le parti de Goliath contre David, qui souhaiterait l'échec final d'Oliver

Twist ? Naturellement, le *récit québécois* ne réalise pas ici un *idealtype* au sens de Max Weber. Ce qui, dans la conjoncture globale de l'Amérique du Nord, évoque David ou Oliver Twist, a, vu de près, les traits d'une certaine petite-bourgeoisie dont on a assez dit qu'elle constitue l'assise sociale et la raison d'être du Parti québécois. Répétons-le : c'est parce qu'il a cet ancrage d'intérêts concrets (munis de répondants idéologiques) que le Parti québécois a un véritable rôle historique.

Le OUI fléché sur le bulletin du référendum – et qui ne sera malheureusement pas un oui à l'indépendance – renferme donc bien des choses : les ambitions d'une partie importante de la classe moyenne, laquelle convoite le pouvoir ainsi que le budget provincial ; un québécocentrisme réactionnaire tout à fait dans la tradition nationaliste ; le ressentiment historique envers les conquérants et ceux qui sont venus par la suite grossir leur nombre ; une aspiration authentique vers la liberté ; un sentiment de fierté profondément éprouvé ; la volonté très nette de lucidité, de modernité, d'ouverture.

Ce OUI multiple, il me faut l'assumer, d'autant plus que je suis anti-nationaliste et fédéraliste. J'estime en effet que l'indépendance demeure la meilleure façon de nous sortir de l'ornière nationaliste et que le gouvernement d'un Québec souverain devrait partager diverses compétences avec les collectivités régionales. On ne dira pas que ma position n'est pas dialectique.

Mais ce n'est pas la multivalence du OUI qui me fait recourir à l'esthétique (sur le rapport entre celle-ci et la dialectique, on lira le grand livre de Frederic Jameson : *Marxism and Form*). Fondamentalement, le OUI demeure injustifiable : je veux dire par là que nous n'avons pas encore une théorie valable de l'indépendance nationale. Cette question me préoccupe à titre d'intellectuel. Voilà pourquoi je ne suis pas tout à fait d'accord avec François Ricard quand il affirmait dans un dernier numéro de *Liberté* que le livre blanc sur « La politique québécoise du développement culturel » « est une démonstration sans faille, qui ne laisse prise à aucune contestation rationnelle sérieuse ». Au contraire. Toutefois, les nombreuses objections fort raisonnables qu'on ne manque pas de lui opposer me paraissent du même ordre que celles qu'il est toujours loisible de faire à quelqu'un qui annonce son intention de quitter la maison, ou de choisir telle profession, ou de laisser sa maîtresse, ou de changer de ville, etc. On ne saura jamais qui a raison. L'indépendance, tout comme la liberté, n'est pas une question théorique mais pratique, disons existentielle. On ne découvre leur contenu de réalité que lorsqu'on en est privé.

Je ne m'étonne donc plus de la résistance qu'offre à la pensée théorique l'aspiration vers l'indépendance. Rien par exemple ne justifie théoriquement que l'on assimile l'individu à un être mal défini nommé peuple ou nation, conférant à ces derniers, en vertu d'une sorte d'organicisme inévitable, les attributs de la vie individuelle : naissance, croissance, risque, échecs, mort, décisions, liberté, responsabilité, etc. Les conditions du *nous* ne sont pas aussi obvies que le laisse supposer la prose de Pierre Vadeboncœur. Il faut reconnaître ici que le concept de classe ou de groupe social apparaît plus « fondable ».

Ce qui, dans le vécu, apparaîtrait comme l'exigence

la plus grande, l'aspiration la plus intense, serait, de ce fait même, indémontrable. La meilleure réponse aux adversaires de l'indépendance, c'est de la faire.

Après le référendum de 1980 : on ne meurt pas de mourir

On comprend bien qu'il faille maintenant refuser toute conception du peuple à la fois romantique et, disons, « causale » (qui rendrait le « peuple » responsable de notre échec). Mais il n'en découle pas que l'événement soit dépourvu de signification. J'estime au contraire qu'il a une signification très importante (quoique non essentielle).

Quelque chose s'annonçait possible le 20 mai qui ne s'est pas réalisé. La défaite du OUI, c'est simultanément la victoire, dans une Amérique du Nord homogène, du MÊME sur l'AUTRE, de l'uniformité sur la différence. Contrairement aux Noirs et aux Chicanos, les Francophones du Québec constituaient une minorité (ou plutôt une marginalité) nord-américaine en position de se doter d'un pouvoir politique distinct. Si l'Histoire (avec un grand H) n'existe pas, si nous n'avons pas une théorie valable de la causalité historique, nous avons en revanche une connaissance empirique des effets. Or nous ne sommes pas, à l'instar de la Bolivie, à la périphérie de « l'Empire » (pour reprendre l'expression d'Umberto Eco), nous logeons tout près de son cœur même, et comme nous avons échoué, il se pourrait bien que les plus notables perdants, à long terme, soient les Canadiens anglais eux-mêmes, agents inconscients de l'indifférenciation dérisoirement recouverts d'un très mince contreplaqué d'identité.

Sans vouloir épiloguer sur la proximité ou non de l'indépendance après un vote positif le 20 mai, ou sur l'existence et la nature des prétendus obstacles qui auraient alors joué un rôle, je considère que les conséquences culturelles du référendum sont importantes : elles ont à la fois une dimension collective et personnelle.

Ce n'est pas par un renversement purement dialectique que je me mets à creuser la notion de *non-identité*. Il se pourrait que la *non-identité* recèle des valeurs insoupçonnées. Parlons plutôt du non identifiable. Je ne sais pas ce que je suis. Un Juif qui n'aurait pas réussi à devenir Israélien serait demeuré Juif. J'étais « X » qui n'a pas réussi à devenir Québécois. Mais par ailleurs, le « non identifiable » semble subversif dans le monde actuel. Je me fais demander par des Français dans un restaurant de Rome : « Vous êtes Belge ? » Je réponds : « Non. Et vous ? » Étonnement. Malaise. Il faut être quelque chose. Or je suis une sorte d'apatride. Je navigue sur les mers de l'existence avec un pavillon de complaisance. Le mien est canadien au lieu d'être libérien ou panaméen.

Comme il est impossible de ne pas reconnaître la validité du référendum, le terme *Québécois* s'avère désormais d'un emploi difficile. Pourtant, « devenir Québécois » a été le moteur utopique d'activités de tous ordres pendant vingt ans. C'est le temps de réfléchir au

caractère absolument paradoxal de l'utopie : INDIS-
PENSABLE À LA VIE, ELLE NE LA MODIFIE PAS. Ou
pour dire les choses autrement : la littérature est précisément ce qui n'arrive jamais. Toute une relecture s'impose des poètes depuis la fin des années 1950.

Nous ne pouvons plus, nous ne devons plus continuer à mettre l'accent sur les aspects collectifs de notre
culture. Comme elle n'a pas de corrélat politique suffisant, elle risque, ainsi vécue et « communiquée », de se
dégrader en folklore. Nos poètes peuvent toujours aller
faire de la ruine-babine et des vocalises « populaires »
en Europe, ils se trompent et trompent leur public.
Nous voilà renvoyés à la condition des artistes des cités
allemandes de l'époque romantique. Certes, pour l'instant, on va déblatérer contre les intellectuels, les ren-
dant responsables de tout. C'est déjà commencé. Ici se
conjuguent la recherche habituelle du bouc émissaire
avec un trait constant de l'anthropologie québécoise : le
mépris de l'intelligence. Il faut laisser vagir.

En attendant, il n'y a que deux appartenances qui
m'apparaissent, présentement, à peu près certaines :

— Je suis Montréalais, je suis né et j'ai grandi en
plein centre de Montréal, j'ai joué dans ses ruelles, je
reconnais en lui le lieu de tous mes signes.

— J'appartiens à la bourgeoisie (contrairement à
mon père).

— J'aurais voulu que nous soyons Québécois. Cela
n'arrivera pas de mon vivant.

L'effet Derome

Soit des paroles, toujours les mêmes, rapportées par des personnes différentes en des circonstances différentes. Tout ce qui nous apparaîtrait propre à chacun de ces actes de langage, présent dans l'un et absent dans l'autre, relève du plan de l'*énonciation*. Le terme désigne l'ensemble des marques qui signale celui qui parle dans ce dont il parle, l'ÉNONCIATEUR dans l'ÉNONCÉ, une DICTION dans un DIT. Qui niera que l'accent, l'intonation, la prononciation, la mimique, le geste jouent un rôle dans toute communication verbale? Personne n'ignore plus l'importance considérable de cette dimension du langage : souvent, c'est moins l'énoncé que l'énonciation qui souligne, affiche l'appartenance sociale et culturelle, les valeurs partagées par le groupe, le mépris ou l'estime, l'injonction ou la soumission. En de nombreux cas, les déterminations énonciatives – tout ce qui dans l'énoncé peut avoir une fonction de communication – tendent même à constituer l'essentiel du message, d'autres aspects notables se trouvant de ce fait inopérants.

Prenons l'exemple fort instructif – et que j'aime à reprendre – du français de Pierre Elliot Trudeau, fréquemment erroné tant du point de vue de la syntaxe que du lexique. Ce caractère n'est curieusement pas perçu dans les situations concrètes de parole où l'on entend Trudeau : ce qui joue réellement alors, c'est l'absence de la prononciation paysanne (que la grande majorité des Québécois a gardée de ses ancêtres). Cette simple « non-présence » d'une marque énonciative suffit, dans la situation socio-linguistique qui est la nôtre, à créer l'impression que Trudeau parle bien, mieux en tout cas qu'un autre Québécois dont le français serait, lui, correct mais grevé de l'accent paysan. Naturellement, il ne faudrait pas s'arrêter à cette observation mais se demander, dans un deuxième temps, pourquoi, dans notre milieu, un trait purement relatif à la forme s'avère plus significatif qu'un trait qui engage la substance (la conformité au code linguistique). Or déjà, ce seul exemple permet de constater, par ses prolongements, que le plan de la langue ne saurait jamais, pour la réflexion, être conçu comme dernier et suffisant. Tout est signifiant dans le langage à condition de ne pas s'arrêter en chemin : ce qui immobilise trop souvent la pensée dans son mouvement vers la réalité « extra-linguistique », c'est la tentation de fétichiser le lexique à la façon des puristes, ou bien la prononciation propre à une classe, à un groupe, ou encore, mais sur le mode négatif, le code lui-même à l'instar de certains idéalistes gauchistes qui voient dans la langue le théâtre même de la lutte des classes.

Mon petit préambule avait pour but de poser sous l'éclairage théorique convenable la question qui constitue l'objet de cet essai : pourquoi Bernard Derome tient-il tant à montrer qu'il sait l'anglais ? Pour être plus précis, qu'est-ce qui le fait, au *Téléjournal*, prononcer

infailliblement « Râââbeurte Enn'drusse » les mots
« Robert Andras » écrits sur une dépêche ? Ou « Pi-ss-
bi-dji-mm » pour PSBGM ? Et « Aille-âre-ré » toutes les
fois qu'il lit IRA ? C'est à ce point que ma mère, qui
ignore l'anglais, manque chaque soir la moitié du *Téléjournal*. Soir après soir, en effet, nous sommes les
témoins ahuris d'une bonne dizaine de changements
du français à une autre langue, en l'occurrence l'anglais.
Et, justement, cela s'appelle changer de code au beau
milieu du message. Pour suivre les informations télévi-
sées du réseau français de Radio-Canada, il paraît donc
indispensable de connaître deux langues. (Il n'échap-
pera à personne, sauf sans doute aux speakers de Radio-
Canada et à leurs patrons, que lorsqu'un Québécois lit
dans son journal *Camp David, Robert Andras, Cyrus
Vance, Washington, Dallas,* les sons qui accompagnent
cette lecture sont ceux de sa langue maternelle, à moins
que l'on ignore aussi, à Radio-Canada, que chaque
langue a ses phonèmes propres.)

Pour mieux illustrer la portée de ce singulier phénomène, il convient de le mettre en rapport avec un
comportement linguistique différent. Nous sommes à
Radio-Canada (toujours…). Il s'agit cette fois d'une
émission de politique internationale. Or l'un des invi-
tés, un Américain, correspondant de l'hebdomadaire
Newsweek, parle du président « Cartère » (Carter), des
difficultés que ce dernier éprouve à « Ouaching'-tonne »
(Washington). Cet Anglophone avait compris ce que
n'a pas encore saisi (pourquoi ?) Bernard Derome :
lorsqu'il parle français, il adopte spontanément les sons
du français. Considérons, de ce point de vue, le *Téléjournal* comme un texte sonore. Certains soirs, le sens

de ce texte n'est pas que les prix montent ou que Claude Ryan baisse (attention, typo!) mais plutôt que Bernard Derome sait l'anglais. On dira, en termes plus techniques, que les modifications codiques y oblitèrent le référent. Cela peut atteindre des proportions grotesques, comme le fameux « Kèmm'p Dééveude » (Camp David) que nous avons dû supporter pendant des mois. Alors qu'il aurait été si simple (et normal) de dire Camp David en français, il fallait entendre Derome « hyper-prononcer » les saintes syllabes, mordre voluptueusement en elles, en ajouter et en remettre avec un acharnement étrange. Décidément, Derome a l'anglais obscène.

Tout le monde, bien sûr, se félicitera de ce que quelqu'un sache l'anglais ou toute autre langue. Mais pourquoi diable encore une fois tant tenir à ce que nous le sachions de *cette façon*? Imaginons, pour mieux saisir l'incongruité du phénomène, une personne qui chaque fois qu'elle s'exprime en italien, cherche à signaler par divers moyens qu'elle connaît l'allemand. On dira qu'il s'agit là d'un procédé évidemment destiné à attirer l'attention de l'auditeur sur quelque chose d'important qui ne doit pas être cherché dans le contenu même du message, qu'en fait, ici, le contenu véritable n'est précisément pas le contenu.

La vraie question se présente donc comme ceci: qu'est-ce que le *Téléjournal* a pour fonction de dire et dit effectivement lorsque Bernard Derome parle anglais à travers le français? J'ai employé ci-dessus à dessein le terme « signaler » : le signal, contrairement à l'indice, est une marque volontaire. Et c'est en effet un système délibéré, intentionnel qu'on voit se dessiner dans l'étonnante phonologie radio-canadienne. La généralité même du phénomène suffit à le montrer : c'est par exemple André Vigeant, à la radio, s'adressant dans une interview au pianiste « Tcharlze » (Charles) Rosen... Ou l'excellent Henri Bergeron qui, présentant un concert de l'Orchestre symphonique de Boston, annonce que le soliste sera le violoniste « Djauseuf » (Joseph) Silverstein. Dans la bouche de Normand Harvey, Dunkerque (la patrie de Jean Bart) se transforme en une ville du Texas tandis que Max Ernst, prononcé « Eurnste », devient un peintre américain. Mais la palme, ici comme en bien des choses, revient à Bernard Derome pour lequel le prénom de l'homme politique africain Robert Mugabe se prononce obligatoirement « Râââbeurte ». On subodorera, dans ce cas extrême, une sorte de perverse jouissance.

Observons que les règles du système ne sont pas nécessairement simples. Ainsi, pour ne prendre que le corpus deromien, Windsor, Vancouver, Miami se prononcent comme des mots français mais non Edmonton, Camp David, Halifax (Bernard Derome aspire le *h* avec une telle conviction qu'on se met à craindre pour lui : ne va-t-il pas avaler le micro ?). Ces inconséquences ne sont sans doute qu'apparentes. Pour ma part, devinant à l'œuvre, derrière ces aberrations, des directives ineptes et une linguistique de colonisé, je m'attends à ce que Radio-Canada m'apprenne un jour que l'écrivain « Râââbeurte Meurle » (Robert Merle) a obtenu le Nobel ou que j'aurai le plaisir d'écouter la symphonie de « Siiizeûre Frrrinque » (César Frank). Je me demande encore comment ils ont pu annoncer la mort de Saint-John Perse...

La question, on s'en est déjà aperçu, s'offre en des termes et selon une perspective se situant à mille lieues de tout purisme (y compris celui qui souhaiterait que tout le monde ait l'accent du XVIe arrondissement). D'une part, c'est une évidence, le système des sons d'une langue constitue une composante de celle-ci aussi primordiale que celui de la syntaxe ou du lexique. De l'autre, les signaux de l'énonciation sont perçus concrètement comme des effets du message. On a essayé de voir un peu ce que je propose d'appeler « l'effet Derome », du nom d'un de ses plus notables agents.

Je crains qu'il ne faille renoncer à l'idée assez répandue que Radio-Canada s'emploie à l'amélioration du français. C'est le contraire qui se produit et depuis longtemps – à moins de s'imaginer que l'essentiel ici réside dans les listes de « dire » et « ne pas dire ». Mieux vaut justement dire « *puck* » au lieu de « rondelle » et que le système phonologique et phonétique de notre langue ne se trouve pas expulsé et rendu honteux. Depuis des années, moyennant l'effet Derome, Radio-Canada répète inlassablement à ses auditeurs que les sons de leur idiome sont tout juste bons pour les choses familières et le milieu proche, que ces sons au statut très particulier doivent se taire et faire place nette aussitôt que l'AILLEURS surgit, bref que le français est inapte à PRONONCER le monde, à le dire au sens strict, physique du terme. Bien plus – et peut-être est-ce encore plus grave –, certaines variétés de l'effet Derome (voir plus haut au sujet de Max Ernst, Dunkerque, Robert Mugabe) tendent à faire croire au public que toute *altérité* est de soi anglaise et qu'elle forme ainsi l'horizon. Mais elle arrive à le former pour mieux le fermer. Situation normale : la langue accueille selon son propre système phonique la diversité linguistique (et culturelle). Modèle imposé par Radio-Canada : la langue est incapable de recevoir la pluralité, elle doit se soumettre au système des sons de la langue unique : l'anglais. D'ailleurs, cette pluralité n'existe plus puisque Max Ernst et Oswald Spengler sont américains et Dunkerque une ville du Texas[1]…

L'une des conditions essentielles pour qu'un petit peuple comme le peuple québécois se sente un peu *à l'aise* dans sa langue et sa culture, c'est la prise de conscience aiguë, constante, renouvelée, de la diversité linguistique et culturelle du monde. Il faudrait se tuer à dire aux Québécois : non ! il n'y a pas que l'anglais, même en Amérique du Nord ! Non ! il y a bien d'autres langues importantes sur la terre, plusieurs cultures de premier plan. L'unilinguisme québécois, fait politique, social, collectif, doit s'accompagner sur le plan individuel, comme chez les Danois, les Hollandais, les Hongrois, d'une sorte de passion pluriculturelle. C'est la carte opposée que joue Radio-Canada. Tout se passe comme si l'effet Derome (que l'on peut définir comme une forme particulièrement efficace de mépris et de dégradation d'une langue par le biais d'interventions sur le signifiant) traduisait une peur profonde et inconsciente : celle d'un français porté au bout de lui-même linguistiquement, entièrement et librement déployé. Mais Dieu sait où cela peut mener : langage

---

1. L'exemple maximum : Jean Ducharme parlant de la cathédrale Saint-Stephen (prononcé en anglais) de Vienne ! Ici, le commentaire défaille…

complet, public libre, etc. Il faut bien rétrécir, diminuer quelque part. Comme il serait gênant d'opérer sur la grammaire et le lexique – c'est trop visible –, on se bornera à des actions phonologiques.

Peu importe comment on essaie d'élucider l'effet Derome, il demeure, vu son caractère général, constant, et la façon dont il modifie la relation transactionnelle émetteur-auditeur, une manifestation indubitable de colonisation culturelle.

Pour un unilinguisme antinationaliste

On me demande de me prononcer sur trois questions :

> 1. Dans quelle mesure le nationalisme québécois a-t-il contribué à la sauvegarde de la langue ? 2. En la sauvegardant, jusqu'à quel point le nationalisme a-t-il influencé la langue dans son vocabulaire et dans son esprit ? 3. Pour que soit assuré l'avenir de la langue des Québécois au sein de la société nord-américaine, dans quel sens le nationalisme québécois devra-t-il évoluer ?

De mon point de vue, la meilleure question est la troisième. Les deux premières ont le défaut, en effet, de n'avoir qu'un intérêt historique. Et aux yeux de l'histoire, de quel nationalisme s'agit-il, s'agirait-il ? Il faut souligner que les formulateurs de ces questions ont été curieusement enclins à prendre le nationalisme comme allant de soi, concept ou idéologie qui ne devraient pas eux-mêmes être soumis à l'examen. La dernière question, tournée vers le présent et l'avenir, permet de poser le nationalisme plus simplement comme la tendance inévitable de toute communauté culturelle se sentant minorisée, menacée ou méprisée, à valoriser, à célébrer même certains traits qui la caractérisent, entre autres la langue nationale. Mais est-il besoin de le rappeler une fois de plus, une tendance inévitable ne constitue pas nécessairement une tendance souhaitable. Le danger, ici comme ailleurs, c'est que la nation qui a mal à elle-même se mette à chérir son mal…

Cela dit, la première réponse très spontanée susci-tée par la question posée, c'est de souhaiter que le natio-nalisme d'ici réussisse enfin à doter le peuple québécois du maximum possible de pouvoirs politiques : cela s'appelle, en d'autres mots, réaliser l'indépendance. Mais cette avenue est bloquée depuis le référendum de mai 1980. Qu'une indépendance politique souhaitable finisse ici un jour par se substituer à un nationalisme actuel inévitable ne veut nullement dire de toute façon que la fameuse équation ÉTAT = NATION = LANGUE UNIQUE soit un principe clair et indiscutable. Dans le passé, tout le monde le sait, cette équation a servi de couverture idéologique aux entreprises colonisatrices (intérieures et extérieures) des grandes puissances. Mais le Québec, précisément, n'est pas l'Angleterre ou la France de l'ère coloniale, et qui niera qu'il y ait des avantages à ce que les Danois, par exemple, aient un État à eux, le Danemark, et une seule langue, le danois, une seule langue au lieu de deux, trois ou quatre en conflit dans un même territoire ? Le monolinguisme social, en soi, n'est pas un désavantage ni un mal. Je réi-tère brièvement ces évidences et ces clichés parce qu'il est difficile de parler de ces questions au Québec sans que de bons esprits se mettent aussitôt à agiter les grands drapeaux de la pensée pure et de la vertu alors que nous sommes dans une situation essentiellement relative qui ne comporte pas de caractères extrêmes.

Donc, depuis le « non » du référendum, c'est le petit train qui continue d'aller et nous ne savons pas s'il va aller très loin… Mais dans la mesure où il reste quelques pouvoirs à l'État québécois, il me semble que notre politique linguistique générale – tout en restant inchangée si possible – gagnerait à se remotiver profondément. Le discours justificateur de la loi 101 tel que formulé dans bien des milieux, les positions prises par certains groupes d'enseignants, les commentaires des chroniqueurs linguistiques devraient, à mon avis, renoncer aux valorisations et aux glorifications propres au discours nationaliste. Ces dernières, à long terme, ne peuvent servir de fondement à une politique nationale linguistique globale. Les faits, la réalité finissent toujours par crever les mythes et les mystifications, et au surplus, nous n'avons pas le droit de mentir à notre jeunesse, à ceux sur lesquels nous comptons pour poursuivre la lutte.

Il demeure dangereux de continuer à vanter les prétendus mérites de notre langue, le français, comme s'il y avait de par le monde des langues plus belles, moins belles, plus nobles, moins nobles, etc. On entend toujours et encore là-dessus tant d'aberrations qu'il est inévitable qu'un jour se produise un grand mouvement de démystification qui risquera de jeter l'enfant (la politique linguistique) avec l'eau du bain (la célébration nationaliste). Il n'y a pas si longtemps, le chroniqueur linguistique du *Devoir* affirmait sans rire que le français est apte aux sentiments élevés tandis que l'anglais convient particulièrement au négoce. Pour d'autres, le français est abstrait et l'anglais concret, ou le français semble plus musical… Sans compter les dévots qui font toujours la génuflexion devant « Sa Majesté la Langue française ». (La vérité, c'est que les langues sont des guidounes et non des reines.) Pourtant, nous savons tous depuis longtemps que le rayonnement effectif d'une langue dépend uniquement de facteurs extra-linguistiques. Une langue, c'est un dialecte qui s'est doté un jour d'une armée, d'une flotte et d'un commerce extérieur… Imaginons un instant que l'histoire ait tourné autrement et que Montcalm ait été vainqueur en 1760 : l'Amérique serait sans doute aujourd'hui française et le français, par la force des choses, la langue internationale du commerce. Tout le monde vanterait avec empressement les qualités du français comme langue des affaires, en concédant toutefois que pour la poésie, l'anglais a bien des mérites. « *So it goes.* »

Ce qu'il faudrait faire comprendre au peuple québécois, c'est que nous devrions avoir exactement la même politique linguistique quelle que soit la langue. Nous parlerions le bachi-bouzouk, le tagalog, le rhéto-roman ou une langue que nous serions les seuls à connaître, que nous devrions avoir en tant que peuple les mêmes droits, la même politique linguistique, la même loi 101, sans avoir à nous excuser ou à nous justifier. Pourquoi ? C'est que le problème en est d'abord un de *langage.*

Qu'on me permette de rappeler une distinction classique sans laquelle on ne saurait penser la question linguistique. Le langage, comme faculté humaine fondamentale, capacité de s'exprimer par des signes verbaux, de dire le monde, de l'organiser – mais aussi constitutif de tout un environnement –, voilà ce qui, en dernière analyse, est en cause. Bien sûr, le *langage* s'exerce toujours à travers une *langue* donnée, dans notre cas le français. Il passe obligatoirement par une langue. Le drame, donc, c'est que si l'on s'attaque à la langue d'un peuple en la refoulant, la dédaignant, on s'attaque à la faculté même du langage, on risque de mutiler et de diminuer la qualité humaine des indivi- dus de la communauté. Les hommes qui voient leur langue méprisée ne parlent tout simplement pas. Ce sont des silencieux. Le silence de l'humiliation. Voilà pourquoi ce n'est pas tellement le français comme langue qui est en cause – le français en lui-même n'est pas une personne, il ne connaît pas l'injure, etc. –, c'est bien plutôt l'essentielle fonction langagière d'une com- munauté humaine. Sur le plan individuel ou quand il s'agit de groupes restreints, la solution est facile : on change de langue. On adopte la langue dominante. Mais une collectivité de plusieurs millions de personnes scolarisées occupant massivement le même territoire ne saurait aujourd'hui changer de langue. C'est une opéra- tion irréalisable.

Je résume ma première proposition : viser désor- mais non pas le français comme tel mais à travers le français le plein exercice de la faculté humaine du lan- gage. Ne plus raconter d'histoires à nos enfants sur les prétendues qualités intrinsèques des langues. Finie l'idéologie de la célébration linguistique ! Pour nous, ne pas parler français, cela veut dire ne pas parler du tout. Nous n'avons pas besoin de parler français, nous avons besoin du français pour parler.

Il faudrait ajouter ici que la glorification nationa- liste des vertus de la langue nationale souvent ne fait que tomber dans le piège du racisme de la majorité ou de la minorité dominantes. Cette exaltation devient un contre-discours profondément ambigu dans la mesure où elle fait droit – négativement – au mépris et au rejet dont elle est l'objet. Exemples :

Speak white/Black is beautiful
Frog/Frog power

Cette remarque ne contredit nullement une observation faite naguère par Marcel Cohen. Dans les luttes de revendication nationale, note-t-il, surtout au début, on remarque chez certains éléments plus conscients de la société, soit dans le prolétariat, soit dans d'autres classes, une exagération temporaire marquée de certains faits phonétiques, sémantiques ou autres de l'idiome national. Ce sera un cas ici où le discours *sur la* langue entraîne momentanément une modification du discours *de la* langue.

Mais si l'on tient, contre toute raison, à évoquer le racisme au sujet de la loi 101, il faudra bien marquer qu'elle traduit effectivement non pas le racisme de ceux qu'elle veut défendre, mais bien celui de l'autre, celui de la minorité dominante, laquelle a inventé, au jugement du linguiste américain Mario Pei, « *one of the most intolerant linguistic insults on record : "Speak white !"* ». En fait, la loi 101 est une loi anti-raciste, destinée à contrer le racisme. Le malheur veut que ce genre de mesure soit toujours en quelque sorte contaminée par le mal qu'elle entend combattre. Mais simultanément, c'est ce caractère concret de la loi 101 en tant que reflet inversé de la situation réelle qui en fait un terrible révélateur des attitudes vraies derrière les façades trompeuses. Quand un

Claude-Armand Sheppard s'en va en Alberta (*of all places!* Se souvient-il des lois nazies sur la stérilisation obligatoire promulguées à Edmonton?) déclarer qu'un « génocide » est en train de se commettre au Québec, quand un Peter Blaikie parle du « tribalisme » des Québécois, ils me font penser aux Allemands des Sudètes. Nous serions les méchants Tchèques persécuteurs de ces gens-là. À l'examen, ces *beautiful people* prétendument ouverts, généreux, démocrates, révèlent quelque chose d'un peu hideux. On ne répondra donc pas à M. Claude-Armand Sheppard. On le laissera gagner sa vie à défendre les boutiquiers d'extrême-droite.

***

J'estime, dans un deuxième temps, qu'il faut renoncer au plus vite à l'idéologie nationaliste de la conservation linguistique, qui consiste à pleurnicher : vous savez, il faut comprendre, dans la situation où nous sommes, en Amérique du Nord, le français doit être protégé, aidé, entouré de barrières, etc. Ce type de discours est encore plus répandu que le précédent. Je me demande qui sont les débiles profonds qui ont convaincu les hommes politiques québécois depuis quinze ans de tenir pareil langage. Pensez-vous que nos enfants vont accepter bien longtemps cette approche muséologique?... Notre langue vit-elle dans une réserve comme certaines plantes ou certaines espèces animales menacées d'extinction? Mieux vaut disparaître que vivre ainsi. Mieux vaut changer de langue et vivre en liberté que survivre dans une sorte de « Parc national linguistique ». Le danger de cette attitude est si grand qu'il risque d'entraîner, lui aussi, le rejet complet de notre politique linguistique générale par la prochaine génération.

Je ne vois qu'une différence entre le Québec et le reste de l'Amérique du Nord. C'est ceci : ce que le poids ou la force des choses a réalisé en Alberta, à Toronto, dans le Michigan, c'est-à-dire un monolinguisme de fait, nous sommes obligés de l'accomplir, nous, en faisant intervenir de façon *plus manifeste* les leviers de l'État. Il y a quelque chose de répugnant à demander à l'autre la permission de se protéger contre lui. Pour ma part, je ne suis nullement intéressé par les entreprises de conservation et de préservation des langues, n'étant nullement porté sur les vieux meubles et les antiquailles… Le peuple québécois a droit au langage et à l'environnement de langage que cela implique. Il n'a pas à se justifier ni à s'excuser.

Mais le terrain est tellement piégé ici que nous ne sortons pas des mises en demeure, des interpellations flicardes, des questions malveillantes et de mauvaise foi. On me demande souvent : qu'est-ce qu'un Québécois ? Je refuse de répondre, ou plutôt ce n'est peut-être pas à moi de répondre. Nos grands-pères et nos pères encore se disaient des *Canadiens*. Puis lorsque nous nous sommes rendu compte que le Canada ne semblait pas pouvoir faire place à notre langue et à notre culture, voilà que le terme *Québécois* s'est répandu et finalement imposé. Or il reflète une situation que nos pères n'ont pas voulue. Pour moi, j'aime mieux vivre que me définir, et je dis que c'est à ceux qui ont créé la situation qu'il incombe de définir maintenant les termes. Je leur renvoie donc la balle. Ce n'est pas tout à fait mon problème. Que le journal *The Gazette* consacre quelque recherche et quelques fonds à cette tâche.

La politique linguistique actuelle comporte le même piège. L'idéologie de la préservation et de la conservation cherche, au fond, à répondre à des questions qui devraient être jugées irrecevables. Elle traduit l'incertitude, la crainte de l'autre, la sujétion, l'incapacité de poser les questions sur le terrain qu'elle aurait choisi elle-même. Je refuse de montrer mes papiers. Je ne peux pas définir un Français, un Russe, un Finlandais. Je suis incapable de définir la culture allemande. Personne au monde n'a à supporter ce poids de définitions que l'on impose aux Québécois actuellement. Je dis qu'il y a là du mépris et de l'intimidation, et que nous devons cesser de nous excuser d'avoir des bras, des jambes, une langue, une société…

Indépendance du discours
et discours de l'indépendance

D'où vient que le discours de l'indépendance du Québec ait eu (et ait encore) un caractère si constamment et si profondément dialogique? On peut le constater autour de soi et en soi. Par exemple, chaque fois que j'ai entendu Gaston Miron sur le sujet, ses paroles prenaient la forme d'une réplique passionnée, visiblement destinées à des interlocuteurs adverses. Bien qu'ils fussent absents, il revenait sur leurs arguments, prévoyait leurs réactions, nommait même les personnes. C'était la preuve que Gérard Pelletier, Pierre E. Trudeau et d'autres, en tant que pôles destinataires symboliques, avaient fini par acquérir un statut considérable dans le discours social québécois.

Je donne l'exemple de Gaston Miron car tout le monde ou presque connaît l'auteur de *L'Homme rapaillé* et peut se souvenir de son langage. Mais la même chose pourrait être observée chez tant de mes amis et connaissances! Ou bien il s'agit d'adeptes de l'indépendance et alors ce qu'ils disent et la façon dont ils le disent paraissent continuellement provoqués par les mots de contradicteurs absents, ou bien il s'agit d'adversaires déclarés et c'est entre nous une discussion obsessionnelle qui dure dans certains cas depuis vingt ans, jamais terminée, toujours reprise, inutile en apparence mais quand même désirée… Je m'étonne donc du titre d'un livre de Marcel Rioux sur le sujet qui me préoccupe : *Pour en finir avec quelques salauds*. Si, historiquement et socialement, il est dans la nature de cette question d'être un débat, comment une conscience pourrait-elle d'autorité espérer y mettre fin, même pour elle seule ? En posant l'autre comme un « salaud » ? Mais cet autre qui parle en moi puisque sans cesse je lui parle, suffirait-il qu'il devienne un « salaud » pour qu'il se taise ?

Or tout cela n'est pas assez dire. Ces paroles, ces écrits, théâtre d'une dispute jamais achevée, à ce titre ne retiendraient pas tellement l'attention s'ils ne s'avéraient la sphère publique de notre discours intérieur, comme son débordement. Si j'en crois ma propre expérience introspective, l'aspect extérieurement dialogique pour nous de la question de l'indépendance – comme si elle ne pouvait se poser, s'exprimer et même se résoudre que dans et par l'affrontement dialogique – reflète la querelle engagée déjà dans la conscience de chacun de nous. Certes, les deux voix qui constituent, avec plusieurs autres, notre conscience, n'ont pas le même statut. L'une d'elles a charge de dire ma conviction « indépendantiste » intime. Cependant, tout se passe comme si elle ne pouvait se faire entendre en moi que comme réponse à *l'autre voix*. Et effectivement, c'est bien ainsi que les choses se sont produites. Depuis vingt ans que je pense tous les jours ou à peu près à l'indépendance du Québec, je ne l'ai jamais fait que dans la passion ou la colère, l'ironie ou le ressentiment, avec un interlocuteur imaginé mais non fictif surgi devant moi, ah! je le tenais enfin!, ou tant d'autres que je ne nommerai pas, et auxquels j'assenais les arguments trouvés la veille… Ma salle de bains, mon cabinet de travail, mon auto sont peuplés d'ombres parlantes et gesticulantes.

Sur le plan théorique, rien ici qui me surprenne : je sais bien que mon monologue intérieur est issu des langages contrastés de ma société et que je suis fait d'eux. Ce qui paraît significatif, c'est l'intense degré du dialogisme. Paradoxe : je n'ai jamais eu l'indépendance indépendante, épanouie dans le calme assertif. J'ai eu, j'ai l'indépendance bivocale, polémique, dialogique. Et la voix refusée, le discours appelé ici (à tort) « fédéraliste » est l'une des composantes de ma conscience.

On voudra bien accueillir un souhait légitime : que le « je » qui énonce dans cet article ne soit pas perçu comme la marque d'un seul individu; qu'on accepte de lui accorder une portée un peu générale, voire assez exemplaire, une valeur trans-individuelle sans pour autant en faire le porte-parole de tout un groupe ou de toute une génération.

Reconnaître la caractéristique singulière du discours de l'indépendance tel que plusieurs de ma génération l'ont énoncé et tel que nous l'énonçons encore – nous qui avons eu vingt ans dans les années 1950 –, c'est tenir compte en dernière analyse de la position discursive de celui qui parle dans le champ des langages de sa société, position concrète, historique, liée au régime et à l'étendue du dicible et du pensable à l'instant où il parle. La nature intensément dialogique de la parole indépendantiste sur son versant tant externe qu'interne suggère que dans la sphère publique du langage, à un moment donné, l'antagonisme entre les deux points de vue a été aggravé par la plus profonde des méprises ou encore qu'il a entraîné une rupture si radicale et si inassimilable entre deux époques ou deux générations qu'une sorte de contact non réciproque s'est trouvé comme maintenu par la poursuite même de la discussion et non par son contenu devenu inopérant (joint à une réponse inexistante). (Malgré cela, il y eut cette tristesse que plusieurs ont cru entendre dans l'allocution pourtant victorieuse de Pierre E. Trudeau le soir du référendum du 20 mai 1980.) Et il arrive que si les hommes passent, les abîmes restent ouverts.

Ce répondant social, cet ancrage historique dont il conviendrait de préciser le moment, le lieu et la portée, on aurait tort, selon moi, de les chercher dans le débat référendaire de 1980. Sur le plan de l'économie sociale des discours, il me semble que tout était joué depuis le début des années 1960. Mais la très nette polarisation imposée par le référendum permet de se représenter, à la façon d'un récit, sous une forme schématique et sans la confusion inhérente à l'événement vécu, le sens du clivage déterminant opéré vingt ans plus tôt. Imaginons le récit référendaire de la façon suivante : sur l'air de la chevauchée de l'ouverture de *Guillaume Tell* (facultatif!), les politiciens sexagénaires issus de *Cité Libre,* à la tête d'une troupe nombreuse composée pêle-mêle d'hommes et de femmes de quarante-cinq ans, de personnes âgées, de catholiques pratiquants, de gens de droite, de citoyens peu scolarisés, de boutiquiers, d'hommes d'affaires, de professionnels prospères, l'ont emporté en une première bataille sur les jeunes, les éléments les plus instruits, les militants syndicaux, les ouvriers des villes, les non-pratiquants et les non-catholiques, les socialisants, les enseignants, les intellectuels, les écrivains et les artistes. Certes, tout référendum est par nature manichéen. Mais il peut arriver aussi qu'une société, à la faveur de certains événements, se divise en deux camps antagonistes. Cela s'est produit lors de l'Affaire Dreyfus avec laquelle la nôtre offre beaucoup de similitudes quant aux types d'opposition (non du point de vue de l'objet, bien entendu). Quel titre donnerions-nous à ce récit? Victoire de la droite sur la gauche? Ce serait simplifier ce qui l'est déjà. Disons plutôt quelque chose comme: l'Ancien Québec *vs* le Québec Nouveau (ou Moderne) ou encore l'Ancien Régime (discursif et idéologique) *vs* le Québec actuel. Mais il faut remonter plus haut dans le temps.

La génération intellectuelle qui a eu vingt ans entre 1950 et 1960, qui a fondé *Liberté, Parti pris,* le Mouvement laïque, a modifié profondément le système des discours au Québec. Elle a considérablement élargi le domaine de l'opinable, du pensable, de l'argumentable. On suppose toujours que les changements ayant quelque portée concrète se signalent en premier lieu dans le discours proprement politique ou dans le discours économique. Mais les choses ne sont pas aussi simples. Il peut arriver que la nouveauté politique, même la rupture politique, d'abord apparaissent, transcodées, dans d'autres discours tel par exemple le discours littéraire. Le régime des langages d'une société fonctionne probablement à la façon d'un homéostat. Une pression dans une sphère entraîne un mouvement dans une autre; les langages communiquent entre eux; les énoncés, les significations, les présupposés, les thèmes migrent d'un discours à l'autre. Et un nouvel équilibre général se reforme. Ç'aura été l'apport (peut-être involontaire) de cette nouvelle génération d'après-guerre d'intégrer au discours social québécois un certain nombre d'impensés (parce que perçus jusque-là comme impensables), ce que Ernst Bloch appelle le « pas encore », le « *Noch nicht gedacht* ». Que le « discours d'entrée » ait été le discours littéraire au sens large ne diminue en rien l'importance du phénomène quant à la société québécoise dans son ensemble. Lorsque *Liberté* parle d'Henry Miller ou de Blaise Cendrars en 1959, elle le fait sur un terrain vraiment neuf, nettoyé de toutes précautions, réticences, *a priori,* contraintes, le terrain de Miller et de Cendrars, là où ne pouvaient plus se manifester les hypocrites sympathies récupératrices. Nommer les choses. Pousser des idées jusqu'au bout. Essayer d'épuiser le champ du dicible. *Liberté,* certes, ne représente qu'un aspect de cette attitude manifestée par la génération de 1950-1960.

Il était fatal que l'idée d'indépendance finisse, à l'instar de plusieurs autres, par rencontrer ces jeunes esprits qui s'ébrouaient trop bruyamment dans leur liberté étonnée, liberté non pas conquise (cette génération n'a guère plus de mérites que les autres) mais comme trouvée et exercée, au moment propice. Il convient de prendre la question par le bon bout. Les intellectuels et les écrivains qu'on associe à *Liberté,* à *Parti pris,* à l'Hexagone ne se sont pas mis à développer l'idée d'indépendance du Québec parce qu'ils voulaient devenir libres. C'est l'inverse. Ils ont pu penser et dire l'indépendance parce que déjà, ils se sentaient assez libres, ils avaient fait l'expérience d'un discours allégé, ils se rendaient compte que le concevable et le théorisable s'étendaient bien au-delà des frontières du champ discursif transmis. La nouvelle génération n'était nullement encline à cloisonner les discours, à séparer soigneusement le discours littéraire ou culturel du discours politique. Elle aurait volontiers et imprudemment proposé une esthétique de la politique et une politique de la littérature…

C'est maintenant qu'il doit être question de *Cité libre*, envisagée non seulement en tant que revue mais comme tout un courant qu'elle a cristallisé. Qui pourrait imaginer aujourd'hui l'importance énorme du capital idéologique et symbolique détenu par *Cité Libre* et son milieu au moment dont je parle ? Il serait impossible de le surestimer. C'est pourquoi le refus péremptoire, monologique, unilatéral que les ténors de *Cité Libre* ont opposé au discours de l'indépendance formulé par les intellectuels plus jeunes – discours considéré comme inintégrable, à expulser tel un corps étranger – est un événement dont les conséquences idéologiques et historiques sont considérables. Le conflit inexpiable qui en résulta demeure la source du caractère intensément dialogique de la parole indépendantiste jusqu'à aujourd'hui. *Cité Libre* avait agi sur nous comme un leurre. Nous avions pensé qu'elle inaugurerait le Québec moderne alors qu'en réalité, elle terminait le vieux Québec. Mais cela, nous ne pouvions pas le voir.

Relisez « La nouvelle trahison des clercs » de Pierre E. Trudeau (avril 1962). On s'étonne : pourquoi cette grosse machine, cette énergie illocutoire, cette façon de vouloir à tout prix en finir ? Le RIN n'existe que depuis deux ans et n'attire pas beaucoup l'attention. *Parti pris* n'est pas encore fondé. Il n'y a à toutes fins pratiques dans le paysage que la droite marginale de Chaput et de Barbeau. Le discours de Trudeau, vu en tant que discours, par son caractère uniformément oratoire, unidimensionnel, abstrait, moralisateur, offre de frappantes similitudes avec les débats de collège des années 1930 et 1940. Pour ou contre la nation, pour ou contre le mariage, etc. On devine que la thèse contraire, sur ce ton et dans ce cadre, pourrait être soutenue avec une égale facilité. Ou encore, il serait loisible d'insérer l'article dans un roman à thèse de jadis avec la contrepartie quelques pages plus loin. Mais ce qui surprend le plus, c'est peut-être l'aspect limité et déjà vieillot des références. Voilà un intellectuel de quarante-trois ans écrivant en 1962 et dont on se plaît à vanter la rigueur, les hautes exigences. Et que trouve-t-on ? Jacques Maritain à plusieurs reprises (!), le père Delos, l'*Encyclopædia Britannica*... Marx ? Sartre ? Max Weber ? Tocqueville ? Connaît pas... Mais, en revanche, des arguties de théologien médiéval : « ... toute pensée qui tend à réclamer pour la nation la plénitude des pouvoirs souverains est politiquement réactionnaire parce qu'elle veut donner un pouvoir politique total et parfait à une communauté qui ne saurait constituer une société totale et parfaite ». Dieu ! Qui parle ici ? Marmoretrus ? Janotus de Bragmardo ? Pierre E. Trudeau ne peut s'aviser que l'engagement des Québécois dans la fédération canadienne ne saurait se justifier en toute honnêteté et lucidité que si la possibilité de l'indépendance est aussi considérée sous tous ses aspects, sans mépris et sans exclusive. Mais la machine à assimiler l'inassimilable à des catégories connues, fussent-elles infamantes, a commencé de fonctionner : la nation désigne ici le « groupe ethnique », non pas la communauté culturelle ou, comme on dirait aujourd'hui, la communauté sémiotique ; nationalisme égale racisme. Dans la présentation du numéro, Gérard Pelletier a le conditionnel retors et menaçant : « Nous ne songerions même pas à les soupçonner [les indépendantistes] de velléités fascisantes… »

Ils y songeaient beaucoup. La machine à traiter le langage d'autrui opère avec une efficacité grandissante. Le premier numéro de *Parti pris* paraît en octobre 1963. Gérard Pelletier commente l'événement dans « *Parti pris* ou la grande illusion » (*Cité Libre*, avril 1964). C'est un texte rusé, qui fait mine de s'ouvrir pour mieux se fermer, et qui réussit, sans en avoir trop l'air, par l'amalgame, l'allusion, à associer *Parti pris* au *fascisme*, au *nazisme*, à *la droite maurrassienne*, au *national-socialisme*, au *nationalisme intégral*, au *nationalisme total*. Pierre Maheu ayant écrit : « […] nos pères, par exemple, les gens de *Cité Libre* »…, Gérard Pelletier observe finement : « […] cette obsession biologique a quelque chose d'étonnant… » (On devine le trajet discursif ici suggéré : biologisme → racisme → nazisme). Le langage de *Parti pris* est si totalement illégitime qu'il faut à tout prix le ramener, en le rabaissant, à des catégories connues. Il ne serait pas venu à l'esprit de Gérard Pelletier que se dire marxiste et révolutionnaire en 1963 à vingt ans (au moment où lui en avait quarante-quatre) pouvait être une façon d'afficher sa liberté. Pierre Vadeboncœur, plus sensible au contexte, à la situation de parole, capable d'interpréter des signes au lieu de réagir à des signaux, remarque dans ce premier numéro de *Parti pris*: « La jeune génération est différente de la nôtre en ce qu'elle ne préjuge de l'échec d'aucune idée. » Gérard Pelletier cite cette phrase sans bien la saisir. Mais Vadeboncœur avait bien vu qu'il s'agissait d'abord d'un déploiement du pensable. Il ne confondait pas la liberté de pensée et la liberté de penser.

Le sommet est atteint par Pierre E. Trudeau en mai 1964 avec son article intitulé « La contre-révolution séparatiste » : *nazisme, fascisme, Goebbels, la contre-révolution nationale-socialiste.* Par le ton a priorique, impératif, sans réplique possible, on dirait que le maître du domaine est en train de régler leur compte à une bande de gamins surpris à faire des saletés : « Vous allez voir de quel bois je me chauffe »… « *Just watch me* ». Trudeauchet perçait sous Trudeau. Six ans plus tard, il fera proclamer l'inique Loi des mesures de guerre. C'était le même texte, la suite de son article. Dans *Les Années d'impatience* (1983), Gérard Pelletier remarque que certaines déclarations de René Lévesque pendant la grève des réalisateurs de Radio-Canada en 1959 annonçaient le « […] nationalisme dont serait marquée toute la suite de sa carrière ». De même, j'estime que la Loi des mesures de guerre de 1970 se trouve assez exactement préfigurée dans plusieurs textes de *Cité Libre,* dont les trois que je viens d'évoquer. Ceux qui avaient en 1964 un langage que le milieu de *Cité Libre* voulait maintenir à toute force hors du langage sont ceux-là mêmes qui prirent le chemin des cellules en 1970. Les mêmes personnes qui, quelques années plus tôt, croyaient entendre le bruit des bottes dans les premiers essais de ma génération, ajoutèrent ou raturèrent, sur les listes ignobles, les noms de ceux d'entre nous que la police devait emmener. C'est ainsi que l'on passe de la dénonciation à la délation.

Il y eut un chœur sans cesse grossissant qui reprit le refrain. Jean Simard parlait volontiers de l'avènement d'un petit *Portugal cléricalo-totalitaire.* Jean LeMoyne déclarait à qui voulait l'entendre qu'il aimerait mieux être laveur de vaisselle à Toronto que vivre dans un Québec indépendant. LeMoyne allait par la suite devenir écrivain à gages puis sénateur. Il arrive que les poètes finissent en épiciers.

Je le répète : sans le crédit idéologique immense dont jouissait le mouvement de *Cité Libre,* rien de tout cela n'aurait eu le même relief. Mais la génération intellectuelle à laquelle j'ai eu la chance d'appartenir, et qui fut, je l'affirme sans modestie, la première génération la plus libre, la plus ouverte, la plus cultivée, peut-être aussi la mieux équilibrée que le Québec ait produite, il se trouva qu'elle se vit acculée à la pire des négativités. Alors que son antiduplessisme et son anti-nationalisme étaient plus profonds et plus viscéraux que ceux de ses aînés, elle subit l'humiliation de devoir protester qu'elle n'était ni fasciste ni totalitaire. Le discours de l'indépendance chez elle s'épuisa longtemps dans une protestation indignée. C'est ce que j'ai appelé plus haut son aspect foncièrement dialogique, lié aussi au fait qu'un fossé infranchissable allait séparer désormais deux générations.

Que révèlent en fait l'impossibilité où s'est trouvée *Cité Libre* d'apprécier la signification de la démarche des cadets, la signification de leur position nouvelle dans la configuration des discours, et l'expulsion de leur langage qui culminera dans la Loi des mesures de guerre? Comment évaluer l'intensité, la violence inédites de ce phénomène? Entre les hommes qui ont eu vingt ans en 1935-1940 et ceux qui ont atteint le même âge vers 1955 s'était creusé un abîme dont on commence aujourd'hui à deviner la profondeur. Il ne s'agit pas du conflit habituel entre générations. D'ailleurs, peut-on parler de générations alors qu'il n'est question souvent que d'une différence d'âge d'au plus une dizaine d'années? Pourtant, une véritable cassure, une rupture essentielle apparaît vers 1960. Pour moi, c'est un fait historique. Il y a un Québec d'avant et un Québec d'après.

Fallait-il donc que les hommes de 1935-1940 soient d'accord avec nous? Pas du tout! Ce qui est en cause ici, c'est l'incapacité totale de faire droit à la parole de l'autre, à sa situation de discours, au contexte, à ce qui est effectivement visé dans et par les mots, bref, à la signification concrète, réelle. Comment contester, voire réfuter, sans ce minimum d'ouverture? Mais *Cité Libre,* c'est la clôture abstraite, la fin d'un langage et d'un monde anciens.

Dans *Les Années d'impatience,* Gérard Pelletier écrit: « Tandis que Pierre Vadeboncœur, Marcel Rioux et quelques autres se repliaient sur le Québec […], Trudeau, Marchand et moi partions pour Ottawa… » Je ne saisis pas bien ce que peut vouloir dire « se replier sur le Québec ». Il me semble qu'il y a plus de sens de l'universel, de modernité, de curiosité, d'ouverture dans *La Sociologie critique* de Marcel Rioux que n'en pourra jamais concevoir l'intelligence précautionneuse et

froide de Gérard Pelletier. On se prend à rêver à ce qui
serait arrivé si *Cité Libre*, au lieu de « s'ouvrir » sur l'universel abstrait de la notion de personne, s'était ouverte
plutôt sur son environnement concret, si les intellectuels de 1935-1940, sans renoncer à leurs convictions,
avaient accompli précisément ce que proposait à leur
position très dominante la conjoncture historique.
Imaginons un instant ce qu'aurait pu entraîner comme
conséquences un effort de réflexion, de clarification
qui, ayant précisé et nuancé les idées, débarrassé les
mots « nation », « indépendance nationale », « fédéra-
lisme », « peuple », « nationalisme », etc., des confu-
sions, contresens et assimilations abusives, les eût remis
dans notre discours social pour un débat réel, ouvert,
sans traquenards cachés, sans ces charges historiques
que d'aucuns s'amusaient à réallumer.

Ma génération, obligée de travailler avec le terme
« nation », s'y est toujours sentie piégée. Voilà une tâche
qui convenait parfaitement à des politicologues émi-
nents, à des connaisseurs ès structures sociales. Mais ces
gens, au fond, détestaient la clarté ; il ne fallait surtout
pas nommer les choses. Je me souviens qu'à la séance de
fondation du Mouvement laïque, en 1961, Gérard Pelletier était venu nous adjurer de ne pas utiliser le mot
« laïque » car cela faisait mauvais effet. Avec une pareille
mentalité, Zola n'aurait jamais écrit *J'accuse*.

Ce détour rétrospectif était indispensable pour
mieux apprécier la situation présente. Par leur position
dans le système des discours, *Cité Libre* et sa génération
apparaissent maintenant comme le dernier fleuron du
Québec traditionnel. Il convient d'avancer de dix ans le
moment historique où le Québec actuel donne à voir

assez nettement ses contours. Il ne s'agit plus d'un phénomène de passage marqué par la fondation de *Cité
Libre* en 1950. Il s'agit d'une rupture radicale observable
à la fin des années 1950 et au début des années 1960,
principalement dans un usage nouveau du langage. Le
Québec traditionnel se clôt sur ce qu'on a appelé l'idéologie de rattrapage, déjà contenue dans son discours
politique. Mais peu après la cassure profonde du début
des années 1960 (ici l'idée d'indépendance a eu une
fonction d'agent cliveur, elle se donne tel un signe ren-
voyant à bien plus qu'elle-même), l'idéologie de rattrapage se voit débordée de toutes parts. En 1962, *Cité Libre*
boude la nationalisation de l'électricité, elle entre à recu-
lons dans la révolution dite tranquille, Jean Lesage,
devant la montée du nouveau syndicalisme, déclare :
« Jamais la reine ne négociera avec ses sujets. » Et il parlera de la « possession tranquille de la vérité » à l'occa-
sion des changements qui menacent dans le système
d'éducation. Mais Jean Lesage sera forcé de suivre le
mouvement. Marc Angenot a observé avec raison un
jour que de 1960 à 1980 (la première année de la réces-
sion économique), les gouvernements québécois n'ont
nullement voulu planifier, diriger une prétendue révolution tranquille fondée sur l'idéologie de rattrapage. Au
contraire, disait-il, ils se sont trouvés à la remorque du
peuple québécois, poussés par les courants de toutes
sortes qui travaillaient la société. Laissons maintenant
l'ancien Québec enterrer l'ancien Québec avec ses derniers dignitaires satisfaits d'eux-mêmes.

Il faut que certains événements arrivent dans le langage avant d'arriver dans la réalité. C'est pourquoi l'intégration de l'idée d'indépendance dans le discours

social québécois est un fait majeur. Voilà une idée devant laquelle on ne peut plus se voiler la face et déchirer ses vêtements. Elle est « naturalisée », parlable, pensable, devenue une composante de notre système discursif. On ne se rend pas assez compte combien cela est capital. Dicible rime avec possible. Pensable rime avec probable. Même si éventuellement, le peuple québécois renonce à l'indépendance, ce ne sera pas parce que celle-ci aura fait l'objet d'un interdit de discours : de ce point de vue, l'indépendance est déjà commencée.

Il y a bien vingt ans maintenant que le Québec a rompu les amarres avec l'Ancien Régime et a pris le large, exposé aux risques de la haute mer : la déculturation ; le fait que notre conscience d'après la rupture de 1960 aura sans doute longtemps de la peine à se restructurer de façon à accueillir et à incorporer, en tant que sujet, ce qui lui vient du monde ; l'atomisation de la société en consommateurs isolés, abstraits, en régime postcapitaliste. Ce sont des problèmes d'aujourd'hui dont ne parlent jamais les notaires constitutionnalistes. Pourtant, la vie finira bien par crever les emmaillotements juridiques. Tout ce qui chez nous tend à diversifier, à complexifier, à étendre et à renouveler le champ des discours travaille, en fin de compte, pour l'indépendance.

Pour moi, je demeure serein. Depuis un bon moment déjà, les rivages de l'Ancien Québec se sont estompés. Je suis curieux de voir ce qui va arriver à ce sacré bateau qui tient par tous les temps. Cette curiosité l'emporte sur le besoin de savoir si un jour ou l'autre nous aurons l'indépendance.

Les souvenirs de Gérard Pelletier :
une mémoire hors du temps

« *Always historicize.* » Je n'ai cessé d'avoir cette objurga-
tion de Fredric Jameson à l'esprit en lisant les souvenirs
de Gérard Pelletier. Car curieusement, le Québec des
années 1950, les hommes et les événements que ce
témoin exceptionnel évoque semblent s'y agiter dans
une sorte d'éternel présent. On dirait un morceau de
vie détaché de la stratification du temps, et flottant
quelque part dans la sérénité d'un ciel inaltérable. Paradoxalement, cette impression très nette pourrait être
redevable en partie à la vivacité de la rédaction qui
contribue beaucoup à « présentifier » les choses. Mais
elle n'explique pas tout. Il me semble que ce dont il
s'agit, c'est d'abord une question de mentalité, voire
d'idéologie. Ce que Pelletier relate avec un entrain et
une agilité louables – et qui servirait à tout le moins de
matière à l'histoire – ne paraît avoir aucune attache
concrète avec l'histoire, ni sur son versant antérieur, les
antécédents des états et des actions, ni sur son versant
ultérieur, qui est la situation présente d'un homme
d'âge mûr écrivant aujourd'hui, en 1983, et qui éprouve
le besoin de revenir sur sa jeunesse.

Bien sûr, nous ne nous attendons pas nécessairement, lorsque nous lisons des souvenirs et des mémoires, à ce que l'auteur nous offre *a posteriori* des perspectives ou des contextes explicatifs, bien que souvent il ne s'en prive pas. Ceci n'est pas donné dans le type de discours. Mais on concédera que l'absence à peu près complète de toute velléité de compréhension des événements dans *Les Années d'impatience* s'avère caractéristique de l'idéologie de *Cité Libre*. Même refus de l'histoire chez le Pierre E. Trudeau de *La Grève de l'amiante*. Pourquoi les choses sont-elles ainsi ? D'où cela vient-il ? Compte tenu des circonstances, verrait-on ailleurs en Amérique du Nord des effets semblables ? Ces questions ne semblent même pas effleurer les esprits, tant le monde selon *Cité Libre* est au fond a-historique, intemporel, « Calme bloc ici bas chu d'un désastre obscur ». L'apparente souplesse d'un personnalisme dialoguisant joue comme un leurre : ce qu'on trouve sous la surface, c'est la fixité et la dureté d'une pensée foncièrement essentialiste. Le régime Duplessis n'est pas un produit ou un accident de l'histoire, c'est une tare (dont on a honte). Les phénomènes historiques se voient ainsi transformés en attributs naturels. Il convient de ne pas s'étonner : la prise en compte de la dimension historique aurait sapé à sa base même l'idéologie du groupe de *Cité Libre* et pratiqué dans sa clôture toutes sortes de brèches par lesquelles d'innommables tentations auraient pu pénétrer… J'ai montré dans un essai précédent comment, effectivement, elles ont été violemment repoussées.

Mais admettons que les souvenirs de Gérard Pelletier, du fait de leurs évocations rapides, échappent à la règle. Il reste l'autre bout, ce que j'ai nommé plus haut leur « versant ultérieur », et je crains bien que la singulière position narrative occupée par l'auteur ne vienne tout à fait corroborer ce qu'une première impression de lecture déjà suggérait. Voici le « je » tardif, parvenu au terme de sa carrière : se ressaisissant au sens propre, il se « revit » comme « je » hâtif, comme le « je » de ses trente-quarante ans. Se peut-il que ce « je » d'âge mûr écrivant aujourd'hui, celui qui a acquis l'expérience, n'intervienne jamais ou presque dans son propre récit, ne fût-ce qu'allusivement, auprès du « je » qui a vécu jadis ? Comment peut-il éviter de modaliser et même problématiser ce qu'il nous rapporte trente ans après, lui qui par définition devrait à l'heure présente savoir plus et savoir mieux ? Il n'est pas nécessaire pour cela de substituer pesamment le pensé de maintenant au vécu d'autrefois. C'est une question de degré, de signaux plus ou moins manifestes. Mais lisez *Les Années d'impatience*. Vous n'y trouverez pas de traces de l'homme de la maturité rédigeant *hic et nunc*. On jurerait que celui qui vit et celui qui raconte la vie le font simultanément. Toute distance temporelle est abolie. Le récit s'en trouve comme écrasé. Or cette absence d'écart perceptible entre le « je » présent et le « je » d'hier suggère à son tour la sérénité immobile de ce qui n'a pas d'histoire. Cet homme n'en serait donc jamais venu à bouger, c'est-à-dire à douter un peu de ce qu'un jour il a cru certain ? Fait significatif : parmi les rares observations attribuables au narrateur actuel, il y a celle-ci, qui est d'ailleurs répétée : tout semblait « programmé » d'avance dès les années 1950 ; on aurait dit une pièce déjà écrite avec les rôles tout prêts…

Pierre E. Trudeau a exercé sur Gérard Pelletier et

Jean Marchand une fascination qui pour plusieurs d'entre nous reste une énigme. On serait enclin à parler d'envoûtement. Si Pelletier ne le dit pas en ces termes, cela ressort abondamment de ses propos. Sur ce chapitre, il est d'une candeur admirable. Presque chaque page redit son attachement, et surtout son admiration sans bornes et jamais démentie envers Trudeau. Selon lui, Trudeau est l'intellectuel par excellence, le mieux informé, le plus rigoureux, le plus exigeant aussi, et le plus redoutable dans les débats. Pelletier a le sens de l'amitié et la faculté d'admiration.

L'amitié est par nature injustifiable. Considérée sous l'angle des rapports inter-subjectifs, la question nous échappe. En fait, elle ne nous appartient même pas. Mais reportée sur un plan plus objectif, elle se présente sous un jour nouveau : il s'agit de la méprise déconcertante sur Trudeau à titre de brillant penseur et intellectuel. Nous avons affaire ici à un problème de psychologie historique des plus captivants. Je me souviens qu'au cours des quelques rencontres entre *Liberté* et *Cité Libre* dont je fus témoin – c'était au début des années 1960 –, Trudeau ne nous impressionnait guère, mes jeunes camarades et moi. Nous étions davantage intéressés par Pelletier, qui nous semblait non seulement avoir plus de champ mais aussi plus de curiosité réelle. Par la suite, l'erreur sur la personne de Trudeau provoque un étonnement grandissant. Cet avocat fêté comme intellectuel se révèle – il suffit de lire ses textes et d'entendre ses propos – un esprit buté aux marges restreintes, unilatéral, monologique. Une sorte de fort en thème bagarreur sportivement tendu vers son interlocuteur, quel qu'il soit, comme vers une cible à atteindre et à abattre. Un coin obscur de son cerveau doit mesurer et comparer la vitesse et compter les points. Ce « goût de la bousculade » (comme disait Pierre Vadeboncœur), de la bousculade intellectuelle s'entend, le rend aveugle aux situations de discours et sourd aux accents dialogiques, en somme à ce qui constitue très souvent l'essentiel de ce que l'autre nous dit. À cela s'ajoute le caractère déjà périmé en 1960 de son système de références. Bref, tout le contraire d'un véritable intellectuel, à moins de penser que la vie de l'intelligence fonctionne à coups de poing. Il faut lire dans *Les Années d'impatience* la manière dont Trudeau rappelle le pauvre André Laurendeau à l'ordre. Pelletier ne semble pas s'en rendre compte, mais le procédé témoigne de la plus affligeante vulgarité intellectuelle. C'est au nom de la logique que Trudeau prend Laurendeau en faute. Il se servira souvent de la logique comme un piège où attraper autrui. Voilà la logique comme arme du pouvoir.

Un intellectuel sérieux ne confond pas la logique et la raison, car il n'ignore pas que le terrain de la logique est infiniment plus étroit que celui de la raison. Mais toute sa vie, Pierre E. Trudeau a confondu la logique et la raison.

Comment comprendre que Trudeau ait pu donner le change si longtemps ? À y bien penser, il me semble que c'est Pelletier qui aurait dû jouer le rôle de figure intellectuelle dominante dans le groupe. Il possédait certainement une plus grande diversité de ressources spirituelles et manifestait plus d'envergure. Mais l'aisance mondaine que procure la richesse a-t-elle ébloui le provincial de Victoriaville ? Ou bien ces jeunes mili-

tants de l'Action catholique auraient-ils aperçu, fasci-
nés, chez Trudeau le masque hypnotique du pouvoir ?
La suite découle de tout ce qu'il peut arriver parfois
d'imprévu et même de hasardeux dans le fonctionnement d'un régime démocratique et qui se trouve gran-
dement favorisé au Canada par l'existence de blocs
culturels et linguistiques divergents. C'est en jouant
délibérément l'un dans l'autre contre l'autre qu'un
Pierre E. Trudeau a pu se glisser jusqu'à la magistrature
suprême. On peut penser à des sociétés dont les fantasmes ne seraient pas si aisément devenus la proie
d'ambitions politiciennes.

Dernière remarque : Gérard Pelletier ne cesse de
parler du nationalisme. Il y a quelque chose de grande-
ment paradoxal à se contenter d'une doctrine politique
et sociale jugée avec raison surannée et réactionnaire
pour nommer ce qui se passe autour de soi. Car si le
nationalisme s'avère démodé comme idéologie, il
risque de l'être aussi comme description du monde.
Cette génération prétend avoir consacré sa vie à combattre le nationalisme. Elle aura plutôt appelé nationalisme tout ce qui bougeait et changeait – et l'interpel-
lait – et qu'elle n'a pas su ou voulu comprendre.

IV

CODES

Culture de masse
et institution littéraire

Il est bien moins périlleux de s'en prendre à tel ou tel discours qu'à leur hiérarchie. La multitude des messages qui constituent notre environnement langagier quotidien accrédite l'impression d'une mise à plat sans perspectives, sans étagement, sans classement. C'est, on le sait bien, un leurre. Chacun des langages constitutifs du discours social a son importance relative, plus ou moins signalée d'ailleurs. Ce que la société tolère mal, c'est qu'on dévoile et conteste le principe de leur ordonnancement.

Prenons comme exemple ce qu'on pourrait appeler l'institution artistique (littérature, peinture, etc.; elle est composée de *faits d'appareils*: éditeurs, troupes, galeries, librairies, salles, jurys, prix, divers publics, et de *faits de langage et de discours*: la critique, l'information journalistique, etc.). Au Québec, la culture de masse commercialisée est intégrée à l'institution artistique comme si cela allait de soi. Le cahier « Arts et spectacles » de *La Presse* consacre sa première page à des personnes du music-hall, Ginette Reno, André Gagnon, qui sont effectivement des agents de produits culturels stéréotypés destinés à la plus large consommation

(selon les intérêts de l'industrie du disque et des com-
manditaires des émissions de radio et de télé). Il y a
quelques années, l'unique chronique littéraire à l'an-
tenne du poste de télévision sportif du boulevard Dorchester était confiée à une diseuse nommée Mouffe. Un
ancien professeur de philosophie de l'Université Laval,
Doris Lussier, vend de la farine à la télé sous le travestissement folklorique d'un vieillard « bien de chez nous » :
Perspectives (14 octobre 1978) publie un reportage où
Lussier parle de la vocation et des problèmes de « l'artiste ». Il serait très aisé d'ajouter un grand nombre
d'exemples dont plusieurs paraîtraient encore plus
significatifs.

Nous sommes ici dans l'ordre du constat. Concé-
dons que les rapports entre la culture marchande
de masse et l'institution artistique sont ambigus et
variables. Après tout, les romans de Guy des Cars ou
même d'Henri Troyat sont aussi des produits de
consommation massive. Mais par ailleurs, on admettra
que *Tu regardais intensément Geneviève* de Fernand
Ouellette, malgré ses déterminations institutionnelles,
ne semble pas aussi aisément récupérable par l'idéologie ou l'industrie culturelle que telle chanson de
Vigneault dont se servent aussi bien la propa-
gande outaouaise que la québécoise. On dira dans le
cas du roman de Ouellette que sa valeur d'usage excède
sa valeur d'échange, même s'il est offert en vente, acheté
à tel prix, etc. D'autre part, la culture industrielle de
masse peut se trouver associée à des instances de l'institution artistique sans jouer un rôle hégémonique. Si
vous ouvrez le quotidien *Le Monde,* vous remarquez
que le dernier spectacle à l'Olympia ne fait l'objet que

de quelques très brefs paragraphes dans l'économie générale de la page musicale.

Il apparaît qu'au Québec, la culture commerciale de masse se trouve non seulement intégrée à l'institution artistique mais qu'elle est en voie de l'absorber. Les quelques cas évoqués plus haut signalent non seulement le fait même de l'intégration mais aussi la position dominante occupée, sous le couvert de l'art et de la culture, par l'industrie de la consommation culturelle. *Le Devoir* annonce la mort d'Ovila Légaré avec la manchette du jour : « Un géant de la scène disparaît ». Ni Alain Grandbois ni Pierre Mercure n'eurent droit à cet honneur. Ceux qui comme moi ont entendu jadis à la radio *Nazaire et Barnabé* peuvent témoigner de la pauvreté d'invention et de l'affligeante vulgarité de ce produit bien commandité. On a pu observer la même abondance dithyrambique lors du décès d'Olivier Guimond, sacré grand artiste génial. Il y avait vraiment de quoi noyer notre chagrin dans la « Labatt 50 ». Le poste de télévision sportif du boulevard Dorchester, dont la différence avec la chaîne 10 s'amenuise de plus en plus, participe comme il se doit à cette entreprise de mystification. Le voilà qui inaugure, le 15 octobre 1978, un nouveau « magazine culturel ». Cela fait bien dix ans qu'il n'a diffusé aucun programme sur la littérature actuelle : poésie, roman, essai, ou encore sur la peinture vivante. De quoi sera-t-il question dans la première émission ?... Des sacs de « magazinage » [*sic*], des chapelières, des modistes, des cordonniers, etc. Laissons-les faire et bientôt un Jacques Brault ou un Jean-Paul Jérôme seront refoulés dans les marges de la culture, hors de la culture même...

On se rend compte que ce qui fait problème ici, c'est moins le discours de et sur la culture de masse (qui n'a pas fredonné *Neiges* ou *Gens du pays*?) que la position qu'il détient dans l'institution artistique et culturelle. Car si Jean-Pierre Ferland est un poète, comme on le dit dans les gazettes et les cégeps, qu'est-ce qu'un poète? Quel discours authentiquement poétique s'avère possible? Devant tous ces « grands artistes » dont les produits sont fonction de la cote d'écoute, du *hit parade,* de la vente de la bière ou de l'essence, quel pourrait être un engagement artistique véritable? Comment enfin écrire au Québec aujourd'hui sur le fond d'un tel discours social? Quand on pense, pour limiter la question, à la place beaucoup trop grande tenue ici par la chanson, ce bercement de l'enfance pour adultes satisfaits, on ne peut imaginer, en contrepartie, qu'une littérature de l'intransitivité, de la non-communication, à base de ruptures, de mauvais sentiments, de franche merde, de tout ce qui n'est pas cette sauce ready-made, électronique et caramélisée, dont la moindre bulle fait l'objet de commentaires empressés dans nos journaux sous la rubrique de la culture ou des arts.

Ce ne sont là que quelques remarques sur une question complexe. Il faudrait voir de plus près comment l'institution littéraire proprement dite tend de plus en plus à se modeler sur les ingénieurs-vendeurs de produits culturels standardisés ou pré-fabriqués : seraient particulièrement instructifs à cet égard non seulement les catalogues de plusieurs de nos éditeurs mais aussi les transformations récentes de certaines grandes librairies montréalaises. Mais il importerait surtout d'examiner les procédés par lesquels on entretient sciemment la confusion entre *culture de masse* et *culture populaire,* comment en fait on exploite et infantilise les Québécois en manipulant les signes de ce qui leur reste d'une culture populaire réelle. Ici les politiciens, les publicitaires et les « chansonniers » s'entendent comme larrons en foire.

Les écrivains québécois
sont-ils des intellectuels ?

Proposons quelques éléments de réflexion non pas à partir de définitions plus ou moins *a priori* des termes mais de la position et de la valeur de la notion d'intellectuel dans le discours québécois. Ceci permet au surplus de ne pas nous empêtrer dans la question jamais résolue du statut des intellectuels et de leur rôle social et politique.

Donc, il s'agirait d'abord, en bonne méthode, de la situation et de la fonction du terme dans le discours social d'ici. Voyons sur quelques exemples.

Discours politique : à l'automne 1981, le premier ministre du Canada, P. E. Trudeau, s'adresse dans la région de Québec à un parterre d'« organisateurs » libéraux : « Il n'y a sûrement pas d'intellectuels dans la salle », lance-t-il après avoir reçu l'habituelle ovation. (Ce public a le cuir épais.) Sa remarque est suivie d'une longue diatribe où il est question des « maudits intellectuels » et de « la maudite engeance intellectuelle ».

Discours romanesque : dans *D'Amour P. Q.* de Jacques Godbout, Mireille, qu'on peut considérer à juste titre comme la porte-parole du « scripteur »,

oppose ce qu'elle nomme « sa théorie intelligente et littéraire » aux « tabarnaques d'intellectuels » qui sont les
amis de Thomas d'Amour.

Discours critique : Louis Caron parlait, dans un
numéro de la revue *Possibles,* des « intellectuels chauves
de *Liberté* qui essuient leurs lunettes pour cacher le
désarroi qui les habite ».

On admettra ici un effet certain de convergence.
Trois types bien différents de discours utilisent le terme
« intellectuel » de manière nettement négative et péjo-
rative.

Continuons.

Dans ce quatrième exemple, le mot « intellectuel »
lui-même n'est pas utilisé mais nous avons affaire tout
à fait au champ sémantique de l'anti-intellectualisme.
Les responsables de Radio-Canada annoncent leur
nouvelle émission hebdomadaire de télé sur l'actualité
culturelle. Ils y mettent tellement de précautions que ça
en devient comique : les voilà qui s'excusent, protestent
de leurs bonnes intentions, font même des promesses :
« Ce ne sera pas compliqué, vraiment, nous allons faire
le plus simple possible, il n'y aura aucun mot savant,
même Claude Jasmin pourra comprendre », etc.

Dernier exemple : le romancier Yves Beauchemin
est invité à parler du *Matou* à l'émission *Apostrophes.*
Quand son tour arrive, le voilà qui cherche à convaincre
tout le monde de sa simplicité et de sa naïveté : à l'entendre, il écrit naturellement et spontanément, sans
rien préméditer, pour le peuple, par le peuple, dans le
peuple… Pourquoi donc, dans la dynamique de cette
émission regroupant plusieurs écrivains de diverses
tendances, Yves Beauchemin a-t-il assumé si facilement

le rôle du « bon sauvage », sorte de case pré-existante dans laquelle il s'est installé sans qu'on le lui demande?

Ces quelques « cas » empruntés à divers sous-ensembles du discours social tendraient à montrer qu'au Québec, l'attitude des écrivains envers la question : « sont-ils des intellectuels? » ne ferait que traduire à sa façon une attitude plus générale observable dans un grand nombre de situations de discours. C'est pourquoi on pourrait finalement répondre ainsi :

Q. : Les écrivains (québécois) sont-ils des intellectuels?

R. : Oui, mais l'idéologie de leur société leur défend de l'avouer.

... Certes, ceci peut avoir des conséquences sérieuses sur le plan institutionnel. Alors que la pratique moderne du discours littéraire tend à questionner les formes, à réfléchir sur le langage, à jouer et déjouer les codes, bref à abolir la distinction entre création et critique, cela supposant que l'écrivain se reconnaisse enfin comme un intellectuel à part entière, l'idéologie québécoise inciterait plutôt à favoriser la survie ou la reprise de formes désuètes : les néo-régionalismes, l'historicisme naïf, la glorification nationale.

Culture populaire et culture «sérieuse» dans le roman québécois

La littérature (et la mentalité) au Québec sont traversées par un conflit jamais résolu entre la nature et la culture: ce n'est pas un vieux débat, il continue de déchirer les textes et de dissocier les esprits. Il apparaît même très tôt. On ne s'est pas encore avisé que le titre du roman de Jean-Charles Harvey, *Les Demi-Civilisés,* n'est nullement péjoratif. Au contraire, les Québécois « demi-civilisés » font pendant au Français Hermann Lillois qui, lui, est « un trop civilisé, disons même un dégénéré ». Compensez, comme le fait Harvey, la *demi-civilisation* par la pureté originelle du pays de Charlevoix, et vous obtiendrez l'être complet et le salut. On dirait que dans notre littérature romanesque, l'écriture, se sentant à la fois obscurément redevable à la nature et honteuse envers la culture, se censure comme culture et mutile le signifiant. Chez nous, c'est la culture qui est obscène. Quand Hubert Aquin parle de Pénélope dans *L'Antiphonaire,* il enrobe la référence culturelle de précautions blagueuses: … « l'épouse qui attend… que son marin de mari revienne de ses hosties de petits chants homériques ». Le contraste ici entre le contenu et l'expression met paradoxalement l'abondance linguistique au service d'une culture raturée, d'autant plus que ce qu'on pourrait appeler la culture « sérieuse » dans ce roman est relégué (et refoulé) dans un second récit temporellement éloigné : je veux parler de cette histoire située au XVIᵉ siècle qui double les événements contemporains. La même dichotomie se retrouve aménagée différemment chez Godbout qui confronte deux langages dans *D'Amour P. Q.* : le discours littéraire sérieux et « fabriqué » de Thomas d'Amour et le discours populaire et « spontané » de Mireille. Mais Thomas d'Amour, c'est l'Hermann Lillois de Harvey. Que le salut (et la réconciliation finale) provienne de la beauté non souillée de nos campagnes ou des instincts non encore pervertis du groupe, c'est un peu beaucoup la même chose. Bien d'autres exemples viennent à l'esprit : Gérard Bessette, dans *La Bagarre,* oppose le fruste Lebeuf au cultivé et raffiné Augustin Sillery. Un des deux personnages sera un écrivain. Qui des deux, pensez-vous, se verra confier la fonction ? Ce sera Jules Lebeuf, alors que l'écrivain *vraisemblable,* selon le code culturel, aurait dû être Sillery. Autre manière pour l'écriture de se censurer comme culture. C'est là peut-être que réside la cause de l'échec relatif de Jacques Ferron. Comment se fait-il que ce bon conteur soit en même temps un assez piètre romancier ? Dans *Le Ciel de Québec,* on sent que l'écriture va *décoller,* qu'elle va s'enfler de tout ce *fantastique* culturel qui caractérise les grands romanciers d'Amérique tel un Gabriel García Márquez. Et effectivement, il y a cela chez Ferron, il y a du Márquez chez lui : les catégories s'abolissent, l'écriture fait mine de prendre en charge la totalité des possibles. Puis cela tourne court.

L'univers se rapetisse. Ferron se replie sur la cuisine du notaire du village primordial.

———

C'est maintenant que se pose la question de la culture populaire au Québec. À ce sujet, le grand ouvrage de Bakhtine sur Rabelais s'avère indispensable. Je suis convaincu que la société québécoise, pour des raisons historiques, est demeurée jusqu'à nos jours profondément imprégnée par la culture populaire. La vision du monde qu'a le peuple s'oppose à celle qu'exprime la culture dite « officielle ». Et elle se veut aussi totale, englobante que l'autre. D'une part, le langage unilatéral du pouvoir, de l'ordre, des salons, du snobisme ; de l'autre, le langage comique, ambivalent du juron, du *sacre,* de la facétie, de la parodie, de la « grossièreté ». Il est aisé de prolonger le paradigme : séparation des classes sociales dans le monde sérieux du travail versus suppression des barrières dans la fête et le carnaval ; individualisme, isolement de la personne « privée » contrastant avec l'exigence universelle de participation ; dignité du chef, de l'autorité/renversement burlesque des rôles ; appropriation des langages par telle classe, tel groupe/libre circulation des langages : c'est le « toul-monde parle » de Duguay et de Chamberland. Les anthropologies changent plus lentement que les idéologies : si la gauche québécoise a raison de dénoncer l'usage que l'on peut faire de la mentalité festive populaire pour gommer les rapports réels entre les classes, elle a tort dans la même mesure de ne pas proposer un langage qui tienne compte de cette mentalité. Et le fait demeure qu'au Québec, les antagonismes de classes sont souvent vécus comme s'ils étaient modulés par le caractère universel et utopique de la culture carnavalesque.

(On peut prendre la question par un autre bout et se demander comment il se fait que la sociologie québécoise ait été constamment globalisante – de la *folk-society* des années 1930 à la *classe ethnique* de Rioux en passant par Falardeau, Dumont, etc. – et qu'elle ait si peu parlé des classes et des groupes.)

S'agissant d'une société où l'ouvrier, le paysan et l'écrivain participent à des degrés divers à une même culture carnavalesque, on ne peut ignorer la question du langage. J'ai toujours pensé que les Québécois ont un rapport spécifique au langage. La culture populaire ne pense pas le langage à la façon de la culture « sérieuse ». Elle reste étrangère à la territorialisation linguistique, au problème des frontières entre telle ou telle langue. Ce qui importe, c'est que le pouvoir de parler (*i.e.* le langage) ne soit pas la prérogative exclusive de quiconque : il faut que tout le monde parle et que les discours circulent. Se trouve récusée par le fait même toute désignation stable de la propriété ou de l'origine des discours. Le peuple, ici aussi, craint les accapareurs et les « annexeurs ». Par exemple, la culture du peuple n'a jamais rejeté le discours savant, au contraire elle le respecte, mais elle se moque du langage des salons, car la science est universelle tandis que le salon est le lieu fermé d'une classe. De même, la libre circulation des langages requiert que celui qui a raison ne soit pas en même temps celui qui parle le mieux, car alors les autres n'auront plus qu'à se taire. Ceci a des conséquences visibles dans notre roman.

Que la société québécoise soit restée profondément marquée par la culture carnavalesque, c'est là un accident historique. Partout ailleurs en Occident, elle tend à se folkloriser ou à disparaître, du moins elle renonce à une vision totalisante du monde. Qu'en conséquence, notre littérature romanesque soit fortement carnavalisée, de Laberge à Godbout en passant par Aquin, Ducharme, Carrier, cela ne fait pour moi aucun doute. Il subsiste cependant le fait que la littérature occidentale, elle, pendant ce temps, continue à se fonder sur le code syntaxique et lexical du bien-dire littéraire de la bourgeoisie, détentrice de la culture « sérieuse », peu importe par ailleurs son orientation idéologique. Le romancier québécois intériorise la culture populaire comme nature et recherche ou récuse la culture « sérieuse » dans la distance, comme phénomène d'une autre classe, d'un autre pays, etc., selon le cas. C'est pourquoi ce n'est pas la sexualité ici qui fait l'objet d'interdits. La culture carnavalesque lui a toujours accordé une grande place. Vanier peut continuer à illustrer les textes de gros plans de clitoris. Ça ne dérange personne. Il y a eu déplacement vers la culture. La vraie question est celle-ci : quels sont donc les mots que Vanier se sent gêné d'écrire ? Là serait l'interdit.

———

Un roman, un film, c'est une longue phrase, et une phrase, c'est une structure syntaxique. L'anthropologie québécoise pense que la nature (l'immédiateté, donc la vérité) se trouve dans une sorte d'expression première d'avant la structure. Les cinéastes de l'ONF ont imposé le cinéma-vérité en déguisant sous des motifs esthétiques leur impuissance à organiser leurs matériaux selon les structures d'un discours. C'est là la limite de la conception populaire du langage. Comme le disait Henri Gobard, on prêche l'expression de tous en se taisant soi-même et en n'écoutant rien. Marcel Carrière est revenu de la Chine avec le plus beau métrage jamais tourné en ce pays. Et cela a donné un film plat qui ne dit rien. Qui s'étonnerait que la culture populaire favorise davantage l'éclosion de conteurs que celle d'essayistes?

———

Le souci obsessionnel de la légitimité dans le discours critique québécois a peut-être sa source dans une sorte de culpabilité culturelle. Lisez les critiques d'ici, les plus jeunes comme les moins jeunes, Philippe Haeck ou le Père Baillargeon, vous noterez cette préoccupation sous toutes sortes de formes: mais qui donc parle? Et au nom de qui parlez-vous? Êtes-vous même autorisé à parler? À parler de ceci? Qui représentez-vous? Comme s'il fallait à tout prix situer l'acte d'écrire dans une légitimité extérieure! Et le critique, à l'instar de Haeck, prétend opposer aux réponses absentes le «nous» du groupe: «Nous n'avons pas besoin d'écrivains qui»… «Il est temps que nous apprenions à refuser»… «Ce qu'il nous faut, c'est», etc.: usurpation et travestissement de l'exigence de participation propre à la culture populaire sous des mines de séminariste se voilant la face. Ici aussi derrière l'idéologie se profile une anthropologie.

Ce qui précède éclaire un peu, me semble-t-il, la politique culturelle du nouveau gouvernement du Parti québécois. J'ai entendu le ministre O'Neill parler du besoin d'aider la culture québécoise dans ses manifestations non pas « élitistes » mais « populaires ». Qu'est-ce que cela veut dire? Qu'entend-on ici par « culture populaire »? Va-t-on venir en aide à un écrivain parce qu'il a du talent ou parce qu'il a un « contenu québécois »? Et que serait un « contenu québécois populaire »? En somme, va-t-on creuser encore davantage l'abîme entre ce que j'ai appelé la nature et la culture, la culture entendue au sens qui permet de dire que sauf au Québec, les écrivains dans le monde non seulement sont des intellectuels mais s'assument comme intellectuels?

Quoi qu'en pensent de bons esprits, l'indépendance ne garantira pas l'avenir d'une littérature québécoise. Il y faudra bien plus une transformation culturelle, sans doute lente et moins manifeste, qui finisse par intégrer la « québécitude » aux exigences de la culture occidentale vécue à la fois comme la réalité la plus large et comme principe d'unification.

Le conflit des codes
dans l'institution littéraire québécoise

Tout le monde admet que le matériau de l'écrivain, c'est le langage de sa société. Il lui est donné sous la forme de ce qu'on a maintenant coutume d'appeler le discours social. Définissons-le, en simplifiant l'ensemble de tous les messages qui nous arrive à n'importe quel moment de notre existence et qui constitue de ce fait notre environnement de langage. Mais attention! Les énoncés et même les mots qui nous parviennent ainsi ne sont pas inertes, neutres, sans attaches, comme l'a bien montré Bakhtine. Au contraire, ces énoncés sont déjà des fragments de discours existants, ils sont proprement des énoncés de discours. Tout se passe en effet comme si le discours social pouvait être envisagé tel l'ensemble des ensembles, chaque ensemble individuel étant formé par un type particulier de discours : le discours journalistique, publicitaire, politique, littéraire, scientifique, etc. Or qui dit discours pose en même temps les codes, en d'autres termes ce qui dans un message (ou un texte) se signale comme opérant des choix, comme imposant des contraintes de divers ordres à divers niveaux.

Le mot *discours* lui-même, faut-il le rappeler, désigne justement tout ensemble de réalisations de la langue circonscrit et défini selon des règles. On est amené finalement à parler de plusieurs sortes de discours et aussi des nombreux codes qui les régissent simultanément : codes linguistique, social, idéologique, culturel, plus évidemment les codes et sous-codes propres à chaque type discursif : par exemple le code littéraire avec les divers sous-codes : rhétorique, poétique, narratif, etc. Il règne ici un certain flottement et la terminologie actuelle n'est pas exempte de confusion.

Il n'est pas essentiel à mon propos d'essayer de voir comment ces codes et sous-codes s'articulent ou mieux se hiérarchisent. Je ne fais qu'évoquer rapidement pour la commodité du lecteur certaines notions courantes sans lesquelles il paraît difficile de réfléchir à la question de l'institution littéraire. Que se passe-t-il dans l'acte d'écrire ? Le sujet écrivant transporte, transpose et transforme dans l'espace de sa propre écriture, dans un nouvel ensemble textuel en voie de formation, des éléments déjà codés dans et par une multitude d'autres discours : sont mis à contribution ici aussi bien les discours non littéraires qu'une grande variété de discours littéraires (l'intertexte, qu'on me permette de le rappeler, c'est effectivement tout ce qui a été écrit avant le texte et qui sert de matière à celui-ci sous forme de reprise, de modulation, de citation, etc.). On le voit déjà, l'acte d'écrire implique une sélection non seulement de mots et d'énoncés mais aussi et peut-être surtout de codes. C'est ici que nous avons besoin du concept d'institution littéraire. Entre la masse des discours (et des codes) qui compose le discours social d'une part, et le texte littéraire de l'autre, l'institution fonctionne à la façon d'un relais, d'une médiation obligés; elle préside au choix même des codes ou mieux encore, elle agit comme le code des codes. C'est elle qui prescrit comment et à quelles conditions à un moment donné, des matériaux linguistiques hétérogènes de provenance variable doivent et peuvent être réorientés, redestinés aux fins de la réussite littéraire d'un texte.

Quand on parle de l'institution littéraire, on est souvent enclin à ne considérer que sa base matérielle et à négliger sa superstructure régulatrice et normative. Certes la base matérielle se donne à voir manifestement : elle est constituée par ce qu'on rassemble ordinairement sous le vocable « appareil » : l'enseignement, la critique, les éditeurs, le marché, les prix, tandis que les règles de production, de lecture et d'évaluation des discours littéraires sont la plupart du temps implicites, que ce soit dans leurs inscriptions textuelles ou bien dans le fonctionnement même de l'appareil. Il se pourrait que la visibilité de l'Appareil soit inversement proportionnelle à celle de la Norme. Pour tout dire, l'institution littéraire s'offre et se saisit tel un monde complet, autonome, suffisant, protégé de l'immédiateté sociale (c'est une illusion assurément). S'ajoute à cela qu'elle détermine sa propre représentation dans les œuvres. Il n'est donc possible de l'atteindre, sur ce plan, que dans la négativité ou la différence, c'est-à-dire par les empêchements, les tensions, les contradictions, les non-dits, les sur-dits, tout ce qui vient moduler la réalisation des codes annoncés par le pacte de lecture. Ces phénomènes renvoient en même temps à l'institution et à la position concrète, historique d'un sujet en elle ou vis-à-vis d'elle.

Ainsi sommairement conçue, l'institution littéraire

est à la fois affaire d'appareil et affaire de langage et de discours. Je suis souvent étonné de constater combien elle se voit l'objet de méfiance et parfois de rejet, même d'un point de vue théorique. Pourtant, personne de sérieux ne soutiendra que le texte se ramène entièrement à ses déterminations institutionnelles. L'institution n'est pas la cause du texte, elle en est la condition (au sens de Claude Bernard affirmant : « Le cerveau est la condition même de l'exercice de la liberté »). Essayons d'imaginer, *ab absurdo,* un musicien sans instrument, sans partitions, sans auditoire, sans concerts et, au surplus, sans formes musicales perçues par lui comme prépondérantes ! Dans sa *Poétique musicale,* Stravinski a montré pourquoi la liberté créatrice ne saurait exister sans les contraintes des codes, autrement dit sans normes institutionnelles.

La distinction entre la fonction organisatrice (la base matérielle, les appareils) et la fonction régulatrice (les normes du *dire* littéraire en vertu desquelles un écrivain est plus ou moins reconnu comme tel) permet d'éclairer sous un jour peut-être inédit certains aspects de notre littérature. Ce qui frappe avant tout sous ce rapport, c'est qu'au Québec, l'Appareil et la Norme n'ont pas nécessairement la même origine, la société n'ayant pu produire les deux. Dans plusieurs secteurs majeurs de la *sphère littéraire,* si l'Appareil est québécois, la Norme demeure française. Disons que notre institution littéraire est double ou plutôt que notre littérature se trouve sujette à une double imposition institutionnelle. Ceci n'est pas sans conséquence. Je suis persuadé qu'on ne peut comprendre un peu en profondeur la littérature romanesque d'ici – et cela quelle que soit l'approche choisie – sans tenir compte des tensions et distorsions produites par la rencontre dans un même texte des codes socioculturels québécois et des codes littéraires français. Un bel exemple, entre cent, serait celui de *Poussière sur la ville* d'André Langevin, dans lequel un certain pathétisme existentialo-chrétien (en dépit de l'athéisme du docteur Dubois), signal du sérieux, de la hauteur et de la noblesse du ton dans bien des romans français de l'époque (par exemple ceux de Luc Estang), s'avère non seulement fortement indexé mais quasi mis hors d'aplomb par son insertion dans une ville fictive, Macklin, dont la topographie et partant les rapports sociaux sont ceux d'une ville « western » ! Il ne suffit pas de reconnaître qu'il est impossible de lire sérieusement la littérature québécoise sans faire appel à la littérature française : on ne peut, sans avoir recours à cette dernière, commencer même à rendre justice à notre littérature et montrer justement qu'elle arrive à NOUS dire à travers et malgré les normes de l'AUTRE. Je propose que l'on procède, de ce point de vue, à un réexamen du roman dit régionaliste. Il me semble qu'il y aura des surprises. Peut-être s'apercevra-t-on que les codes littéraires français y occupent une place d'autant plus grande que l'œuvre se signale comme régionale, québécoise. Je songe par exemple à ce mauvais roman, en tout cas à ce roman surfait, qu'est *Menaud, maître-draveur.*

Un autre exemple nous est donné par le Nouveau Roman français. Dans la « sphère de production restreinte » en France (celle des écrivains dits *sérieux* qui ne sont pas censés travailler pour le marché, par opposition à la « sphère de grande production » vouée à la littérature *commerciale,* d'après les termes de Bourdieu repris par Dubois), le romancier qui affiche les signes de la nouvelle narrativité imposée depuis plus de vingt-cinq ans par le Nouveau Roman ne fait à l'heure actuelle nullement acte de rupture ou de nouveauté sur le plan esthétique ; en brouillant délibérément selon un dosage variable les catégories romanesques traditionnelles : temps, mode, perspective, voix, il cherche à signaler, entre autres choses, qu'on ne doit surtout pas le confondre avec ces romanciers commerciaux que sont Henri Troyat ou Max Gallo ; et même s'il n'atteint pas les forts tirages, il peut se faire publier par un grand éditeur : Gallimard, Minuit, Flammarion. Or on l'a maintes fois observé, le roman en Amérique du Nord continue d'évoluer suivant des orientations qui ne doivent rien ou à peu près au Nouveau Roman français. Serait-ce un hasard si les écrivains québécois qui ont adopté à un degré ou à un autre la norme institution-nelle française de la nouvelle narrativité semblent devoir se regrouper présentement en des maisons arti-sanales : VLB, Les Herbes rouges, etc. ? Lorsque la fonc-tion organisatrice et la fonction régulatrice de l'institu-tion littéraire sont étrangères l'une à l'autre, on doit s'attendre à des effets spécifiques. Dans les deux cas (Appareil et Norme homogènes versus hétérogènes), les écrivains résistent à la pure et simple sujétion de leur activité à ce qu'Adorno appelait l'industrie culturelle mais ni leurs positions dans l'institution ni leurs moyens ne sont les mêmes.

Il ne faudra donc pas s'étonner, vu ce qui précède, si l'Appareil institutionnel québécois a une conscience floue, incertaine, inconséquente des signes distinctifs du discours littéraire qui le concerne. Ceci se reflète, par exemple, dans la composition des jurys où les écrivains se voient de plus en plus remplacés par les agents (souvent inconscients) de l'industrie culturelle (télévision, radio, publicité). On l'observe également au sujet des prix : *Le Développement des idéologies au Québec* de Denis Monière, couronné à la fois par le Gouverneur général du Canada et la Communauté urbaine de Montréal, a beau être un ouvrage utile et convenablement rédigé, il ne révèle pas une *écriture* – ce n'était d'ailleurs pas sa visée – à moins que notre société ne soit en train de définir l'essai littéraire (qui ne porte pas nécessairement sur la littérature) de façon radicalement nouvelle. Le fonctionnement de l'institution littéraire québécoise fait penser à une personne qui s'achète un système de reproduction du son tout ce qu'il y a de plus coûteux, complet et perfectionné. Elle s'en déclare très satisfaite, en prend grand soin, et le fait admirer par tout le monde. Mais voilà que ses amis découvrent, après un certain temps, qu'au fond elle n'aime pas tellement la musique, qu'en fait la musique occupe même une place assez minime dans sa vie, et que de toute façon, son rapport avec l'art musical est hésitant, embarrassé, indécis, dépourvu de toute perspective : ma foi, elle ne saurait pas reconnaître ce qui distingue entre eux Serge Garant, André Gagnon, Jean-Pierre Ferland, Bruno Laplante, Gilles Potvin et Stéphane Venne...

Une dernière remarque : l'inscription de l'institution littéraire française dans la plupart des textes québécois ne les rend ni plus français ni moins québécois. Ce qui retient ici la réflexion, c'est la manière dont le discours social québécois dans nos romans, par exemple, contredit, ou bien contourne et généralement subsume les contraintes du code littéraire français. Je crois l'avoir montré ailleurs au sujet des romans de Roger Lemelin et je suis maintenant convaincu que la question se pose pour la majorité de nos textes les plus significatifs. Bien sûr, chaque œuvre particulière présente une réponse concrète, individuelle à la pression de la double institution. Mais est-il besoin de le souligner, ce qui apparaît vraiment digne d'intérêt en fin de compte, ce ne sont pas les codes ou l'idéologie plus ou moins lisibles dans les textes, c'est ce qui est dit grâce à eux et malgré eux.

Code social et code littéraire
dans le roman québécois

Plus on étudie le roman québécois moderne, plus on acquiert la conviction que c'est en termes de rapports très nettement conflictuels qu'il convient d'aborder le jeu réciproque des codes sociaux et des codes littéraires, cette opposition pressentie dans les textes s'avérant un des traits fondamentaux qui définirait le statut même de notre roman, aussi bien pour les œuvres des années qui ont suivi la Seconde Guerre mondiale que pour celles plus récentes de la « nouvelle écriture ». Mais il est tout à fait à propos de reconnaître néanmoins que le terrain apparaît encore plutôt mal circonscrit, assez embroussaillé ; il n'a pas été suffisamment balisé ; il offre toutes sortes de possibilités de parcours parmi lesquelles nous devons faire des choix. Pourtant, il n'y a pas de doute, le terrain et la question nous sollicitent, ils appellent fortement l'examen et la recherche. Une littérature doublement marginalisée comme la littérature québécoise (par rapport à la France, par rapport à l'Amérique du Nord anglophone) constitue un lieu par définition conflictuel où se rencontrent plusieurs exigences et plusieurs influences. L'institution littéraire québécoise, entendue ici à la fois comme fait d'appareil et comme fait de discours, se trouve embarrassée, hésitante, incertaine, notamment dans sa fonction de sélection des codes littéraires. Les contraintes des modèles littéraires eux-mêmes se voient fréquemment niées ou contournées ou généralement subsumées par le discours social québécois ou, si l'on préfère, par les codes socioculturels. Mais plus fondamentalement encore, il se pourrait que la situation linguistique concrète de l'écrivain québécois – je renvoie ici à l'exercice et au statut même du langage dans sa société – nous oblige à poser le problème de la *norme* même de la langue littéraire, non pas certes dans sa fonction linguistique corrective ici secondaire, mais à titre de condition institutionnelle indispensable pour que le langage d'une communauté culturelle puisse recevoir et porter les codes de la littérature.

Le malheur veut, je crois, que nous n'ayons encore sur l'ensemble de cette question que des observations sans doute nombreuses mais toujours fragmentaires : des aperçus, des intuitions, des remarques, certains événements constatés. Il m'est arrivé d'en faire état dans mon livre *Le Romancier fictif* et aussi dans quelques articles parus dans la revue *Liberté*. Il nous manque un travail méthodique et complet. Ce travail, à mon avis, supposerait précisément ce que Claude Duchet a appelé « la réorientation de l'investigation socio-historique du dehors vers le dedans, c'est-à-dire l'organisation interne des textes, leurs systèmes de fonctionnement, leurs réseaux de sens, leurs tensions, la rencontre en eux de discours et de savoir hétérogènes ». Car cette approche, à mon avis, n'est pas seulement indispensable pour l'analyse dite textuelle, elle l'est également pour certaines tâches de l'analyse institutionnelle. En effet, l'institution littéraire, outre sa fonction extérieure de légitimation, détermine et « régule » sa propre représentation dans les œuvres. Et les règles de production et de lisibilité des discours littéraires sont la plupart du temps implicites, du moins dans leurs opérations textuelles. Il n'est donc possible d'atteindre l'institution, sur ce plan, que dans la négativité ou la différence, c'est-à-dire par les empêchements, les tensions, les contradictions, les non-dits, les sur-dits, tout ce qui vient comme moduler l'accomplissement des codes proposés par le pacte de lecture.

Ces préalables indispensables posés, j'ai choisi d'éclairer la question en rassemblant un certain nombre d'exemples qui permettent d'envisager concrètement le texte québécois comme espace conflictuel et d'induire, par voie de généralisation prudente, certaines conditions socioculturelles qui affectent la position et la pratique de la littérature au Québec. Certes, j'y insiste, les termes « conflit des codes », pas plus que celui de « marginalisation », ne sont pour moi grevés de négativité. Les relations d'implication dans les textes, les questions se rapportant au statut pragmatique des énoncés littéraires, les phénomènes d'hétérogénéité, tout cela ne désigne pas des carences ou des sortes de maladies, mais nous rappelle plutôt que le travail d'un écrivain devrait être envisagé comme une réponse de quelque façon négociée, accommodée, empêchée aussi par rapport aux contraintes qu'exerce sur lui sa société.

Commençons par l'un des romans les plus connus et certes les plus importants de la littérature québécoise : *Poussière sur la ville* d'André Langevin, publié en 1953. J'évoquerai brièvement, pour les lecteurs qui ne le connaissent pas, l'essentiel de sa substance narrative : le docteur Alain Dubois et sa jeune femme Madeleine – celle-ci est d'un autre milieu que son mari – s'installent dans une ville industrielle que le roman nomme Macklin. L'adaptation est difficile. Alain Dubois se sent mal accepté. Il faut dire qu'il rejette sans trop de précautions le conformisme social, moral, religieux des habitants de Macklin. Mais, surtout, il se rend compte que Madeleine s'éloigne de lui. En fait, Madeleine retourne à son milieu d'origine : on la rencontre à toute heure dans une sorte de restaurant-buvette fréquenté par les mineurs, les prolétaires. Sa conduite fait scandale. Il n'est pas permis que la femme du médecin se « déclasse » ainsi. L'un des habitués du « café » devient son amant et, à la fin, Madeleine se suicide tandis que le docteur Dubois, en proie à une immense pitié pour elle, décide de rester malgré tout et d'affronter seul la ville…

Or la plus grande partie du texte est constituée par ce que j'appellerai le discours d'Alain Dubois : ses sentiments, ses pensées, les réflexions qu'il se fait, les paroles qu'il adresse à Madeleine, au marchand, aux médecins de l'hôpital, au curé… Et c'est sur ce plan d'abord qu'on peut lire l'opération d'un code : le langage de Dubois, aussi bien dans l'expression que dans le contenu, est très fortement marqué par un certain pathétisme existentialo-chrétien dont la fonction est peut-être moins ici d'engendrer partiellement le texte que de signaler son statut. Cette sorte de pathétisation, en effet, au début des années 1950, était perçue comme le signal du sérieux, de la hauteur et de la noblesse de ton dans bien des romans français (par exemple, ceux de Luc Estang : *Charges d'âmes*, Seuil, 1950-1954). Nous sommes bien entendu ici dans la mouvance d'une attitude axiologique qui consiste à poser que la grande affaire, c'est le suicide ou encore l'authenticité (et non pas, comme chacun le découvre par après dans la vie réelle, de parvenir à payer le loyer ou à rédiger un article...). Disons donc qu'à ce premier niveau, la gravité et la sincérité toutes camusiennes du discours de Dubois, ainsi que la dramatisation de la vie quotidienne, permettraient de parler d'une inscription d'un code littéraire français à la fois comme modèle producteur du texte et comme signal de sa légitimité.

Mais les choses se compliquent singulièrement sur un autre plan. En effet, cette partie primordiale de la diégèse centrée sur Dubois s'avère elle-même non seulement fortement indexée mais presque mise hors d'aplomb par son insertion dans un espace, disons une topographie tout à fait inattendue compte tenu de ce que je viens de décrire. Tout se passe, pour donner un exemple, comme si les discussions entre le docteur Dubois et son confrère de l'hôpital, qui ne sont pas sans évoquer les débats dans *La Peste* de Camus, voyaient se dérober sous elles leurs assises textuelles. Car que nous révèle le référent spatial dans *Poussière sur la ville* ? Que les principaux personnages, leurs domiciles, leurs fonctions sociales, leurs possibilités de relations interpersonnelles sont posés à une très courte distance physique l'un de l'autre, ou l'un en face de l'autre, le long d'une seule rue. De la fenêtre de son salon, Alain Dubois peut voir sortir sa femme du bar où elle le trompe : il est situé sur le trottoir opposé, un peu de biais. Le marchand Prévost, qui représente l'opinion commune de la ville, tient boutique à quelques mètres vers la droite. Qu'est-ce à dire ? Malgré la teneur du discours diégétique, nous n'avons pas la complexité urbaine qu'elle implique, nous n'avons pas la stratification sociale attendue, nous avons plutôt la *rue unique* d'une petite ville de l'univers des « western », univers pré-institutionnel où les classes, les rôles n'ont pas encore organisé et cadastré l'espace. L'espace représenté dans toute fiction, comme l'a souligné Uri Eisenzweig, est l'un des vecteurs idéologiques essentiels. Cette topographie singulière agit sur notre lecture du texte. La noblesse de ton existentialo-chrétienne, sans s'abolir, s'insère dans le contexte d'un espace référentiel qui la modifie. Il y a chez Alain Dubois quelque chose et même beaucoup de l'homme seul qui arrive dans un lieu trop nouveau, trop récent, qui devra affronter ses habitants, qui y perdra tout, mais qui à la fin triomphera. Une sorte de héros qualitativement mâtiné de Camus et de Bernanos mais opérationnellement doublé du Gary Cooper de *High Noon.*

L'espace représenté qui « travaille » ainsi *Poussière sur la ville,* donnons-lui son nom : c'est le code socio-culturel québécois... On conviendra que même dans un texte, le code littéraire ne s'avère pas nécessairement, en dernière analyse, le plus contraignant des codes sociaux. Et on admettra aussi que l'opération de l'institution littéraire française dans un texte québécois ne le rend de toute façon ni plus français ni moins québécois. Certes, il faudrait procéder à une analyse beaucoup plus fine de *Poussière sur la ville* – je n'ai donné ici que les indications –, mais il y aurait gros à parier que dans ce cas comme dans plusieurs autres, les codes littéraires français tendent à déterminer les *qualifications* des personnages tandis que le discours social québécois commande leurs fonctions ou leurs *opérations,* c'est-à-dire ce qu'ils *font* textuellement en dépit de ce qu'ils *sont.* Il conviendrait de s'inspirer ici de la très belle étude que Jean Levaillant a faite du roman d'Anatole France, *Les dieux ont soif,* dans laquelle il démêle les rôles respectifs de deux réseaux de sens, qu'il nomme l'un le « réseau moteur », et l'autre, « le réseau stateur ». Quelle que soit la méthode, j'aime beaucoup le cas de *Poussière sur la ville,* car il permet une illustration pédagogique particulièrement saisissante de la question du conflit des codes. Et il se pourrait bien que l'une des raisons de l'espèce de fascination qu'il a toujours exercée sur le public réside dans la perception de la dimension tragique de l'homme seul sur une terre violente, sauf qu'ici – c'est le paradoxe – la tragédie parle avec les mots et l'accent de la rue Jacob, j'allais dire de la revue *Esprit,* vers 1950…

Je voudrais apporter un autre exemple, plus probant encore si l'on veut voir d'un peu près comment l'institution littéraire agit, celui du premier roman de Roger Lemelin, intitulé *Au pied de la pente douce,* publié en 1944. De l'avis de la plupart des critiques québécois, il s'agit là du meilleur roman de Lemelin. J'en ai traité longuement dans mon livre *Le Romancier fictif,* aussi vais-je me contenter ici de résumer au risque de simplifier un peu. Que trouvons-nous? Essentiellement, une rivalité entre deux jeunes gens, presque deux adolescents, qui aiment la même jeune fille. Ils habitent tous les deux le même quartier ouvrier de Québec. L'un, Denis Boucher, est dénoté comme beau, grand, fort, agile, sûr de lui, ambitieux, et il veut devenir écrivain ; il est d'ailleurs en train d'écrire un roman ; fils d'un petit employé, il entend poursuivre ses études pour obtenir un jour une belle situation… L'autre, Jean Colin, fils de chômeur alcoolique, manœuvre dans une fabrique de chaussures, est marqué comme délicat de santé, sensible, timide, intuitif, vulnérable, avide d'apprendre, porté vers l'introspection romanesque, etc. Or Jean Colin va mourir d'une cruelle maladie tandis que Denis Boucher, son rival signalé gagnant au départ, non seulement se sera fait aimer de la jeune fille avant même la mort de son ami, mais il publiera en outre son roman.

Dites ainsi, les choses paraissent simples. En fait, il s'agit d'une véritable opposition structurant le texte à tous les niveaux, opposition qui se trouve par ailleurs comme masquée par la régulation narrationnelle. Celle-ci, par son parti pris d'omniscience et de focalisation nulle, sa façon de répartir les signes entre les acteurs, son habileté à détourner l'attention sur des détails typiques, arrive à neutraliser ce que le déséquilibre Jean Colin-Denis Boucher peut avoir de surprenant et même de scandaleux. Il ne s'agit nullement ici – faut-il le rappeler – de disserter sur une prétendue psychologie des acteurs. Ce dont il est question, c'est d'une structure de relations tout à fait inattendue.

Si l'on examine le système du point de vue des indices de caractérisation, on se rend compte que l'écrivain attendu selon la tradition culturelle et littéraire française aurait dû être Jean Colin à cause du mélange de sensibilité plus vive, de plus grande vulnérabilité mais aussi de lucidité dont il est doté. Première distorsion : la qualification « écrivain » est ici transférée à un

autre acteur, Denis Boucher, qui n'est pas le sujet prévu
par le code littéraire.

Du point de vue fonctionnel, il se passe quelque
chose d'encore plus curieux : l'inégalité initiale n'est pas
rétablie par la logique actancielle mais elle se trouve
aggravée par la victoire de Denis Boucher. Voilà un texte
où le plus fort triomphe sur le plus faible sans que des
fonctions adjuvantes viennent atténuer le déséquilibre
sinon rétablir l'équilibre. Ici nous touchons à une
dimension presque trans-historique du code littéraire :
la littérature en effet assure la victoire de David sur
Goliath, celle d'Ulysse sur le Cyclope, et elle se garde
bien de faire mourir Oliver Twist. Seconde distorsion
qui s'avère d'ailleurs corrélative de la première : peu
importe l'issue du combat, la répartition des armes
entre les deux adversaires est trop inégale.

Il me semble que ces distorsions constituent une
réponse symbolique à la question : comment accommoder l'ambition d'écrire à la société québécoise des
années 1940 ? Il est difficile de ne pas lire dans la défaite
et la mort de Jean Colin l'aveu de la précarité du statut
de la littérature, comme si un code littéraire transmis
par la culture entrait ici en conflit avec la réalité sociale
concrète. Jean Colin devient alors la figure *fictive* de la
condition réelle de l'écriture, Denis Boucher une issue
imaginée pour un milieu trop enclin à voir dans l'art
une activité futile et marginale… L'exemple d'*Au pied
de la pente douce* révèle que lorsque le code littéraire
entre en conflit avec le discours social ou y est mal inté-
gré, c'est le discours social qui subsume, détourne, gau-
chit à son profit les contraintes du code.

On pourrait penser qu'il s'agit là d'un fait unique et

qu'au surplus, ce roman de Lemelin appartient à notre préhistoire littéraire puisqu'il remonte à 1944. En fait, la dissociation Jean Colin-Denis Boucher est un type de structuration repérable dans plusieurs romans québécois jusqu'à aujourd'hui. Tout se passe comme si la représentation fictionnelle de l'écrivain, de l'intellectuel, de l'artiste requérait non pas un seul personnage, mais deux personnages aux traits opposés : l'un auquel sont attribués les signes de la culture, du raffinement, de la maîtrise du langage, l'autre qui se voit doté de la force instinctive et du sens de la réalité. D'un côté le langage sans le réel, de l'autre le réel sans le langage. Cette figure double, selon des modalités diverses et avec certaines variations quant à la répartition des marques, s'avère trop fréquente dans le roman québécois pour ne pas être significative.

On la constate dès 1934 dans *Les Demi-Civilisés* de Jean-Claude Harvey. Je viens d'en commenter une occurrence particulièrement suggestive dans *Au pied de la pente douce* de Lemelin. Mais Lemelin la reprendra, toujours avec Denis Boucher comme l'un des deux termes, dans *Les Plouffe* (1948) et dans Pierre le magnifique (1952). Ensuite, on retrouvera la même dissociation dans *La Fin des songes* de Robert Élie (1950), dans *La Bagarre* de Gérard Bessette qui en offre en 1958 un exemple d'une exceptionnelle portée, et, il faut y insister, dans deux des romans les plus importants de Jacques Godbout : *Salut Galarneau!* (1967) et *D'Amour P. Q.* (1972).

On pourrait faire un très long commentaire sur cette cassure qui traverse le roman québécois et en vertu de laquelle le *savoir-dire* et le *devoir-dire,* ou parfois aussi le *pouvoir-dire* et le *vouloir-dire,* ne se trouvent jamais du même côté, réunis dans la même personne, mais au contraire donnés comme à jamais séparés et irréconciliables. Si la société fictive, intratextuelle, ne réussit pas dans ces romans à donner aux discours litté-raires imaginaires un statut ferme, assuré, unifié, c'est peut-être parce que le discours littéraire occupe une position homologue vis-à-vis le discours social dans la société réelle. Les conflits de la société, est-il besoin de le rappeler, se trouvent transposés et transformés selon le jeu des catégories fonctionnelles des formes litté-raires. Tel personnage, telle position narrative peuvent devenir la figure fictive de la possibilité ou de la diffi-culté d'un langage. Certes, le modèle duel dont je viens de faire état appelle des considérations de nature quasi anthropologique sur le statut de la culture, sur le conflit latent nature-culture au Québec et en Amérique du Nord. Mais pour me limiter à la question du conflit des codes et de l'institution littéraire, il m'apparaît clair, du moins sur la foi des romans dont je viens de faire état, que l'institution n'arrive pas ici à déterminer une représentation de la fonction d'écrire qui ne soit pas profondément conflictuelle, structurée par l'oppo-sition entre les codes, d'une part, de l'inné, de l'authen-ticité, de la source, de tout ce qui se donne comme anté-institutionnel, et d'autre part, ceux de l'acquis, de l'artificiel, de l'emprunté, bref de la lointaine et dange-reuse culture…

Continuons avec d'autres exemples mais en modi-fiant l'éclairage de la question. À mon avis, l'une des façons indirectes d'atteindre l'institution dans et par les textes, l'institution non comme base matérielle certes,

mais comme superstructure régulatrice et normative,
c'est en étudiant le statut textuel des références littéraires et culturelles. J'entends le mot au sens large : par
exemple dans un roman un ou des auteurs sont nom-
més, des livres sont lus par des personnages, des pas-
sages sont cités. Le statut textuel de ces références, tel
que je l'envisage ici, ne concerne pas principalement ce
qui pourrait apparaître comme la position et la fonction de la littérature dans la société imaginaire, bien que
cela ne soit pas sans importance, mais d'abord et avant
tout leur rôle dans le procès textuel lui-même.

J'ai comparé de ce point de vue deux romans québécois d'à peu près la même époque : L'un, *Mon fils
pourtant heureux* de Jean Simard a été publié au Québec en 1956 ; l'autre, *Un amour maladroit* de Monique
Bosco, l'a été par Gallimard en 1961. Monique Bosco
s'est établie au Québec à l'âge adulte après avoir reçu sa
formation en France. Fait notable : les deux romans
relatent grosso modo la même histoire.

Le statut des références littéraires est très différent
dans les deux textes. Chez le Québécois Jean Simard, les
très nombreuses références – elles sont légion : cela va
d'Angélique Arnaud à Teilhard de Chardin – ont une
fonction avant tout discursive, on dirait presque orne-
mentale : étoffer une description, enjoliver une situation... Chez la Française devenue Québécoise, Monique
Bosco, les références, moins nombreuses, se trouvent en
revanche intégrées à la trame même du récit et leur
efficace diégétique se constate précisément à la présence obligée de marques temporelles : « Nul livre n'arrivait plus à me sortir de mon marasme. Je n'y découvris aucun écho fraternel *jusqu'au jour* où je découvris

Sartre » (Sartre agit ici tel un personnage). Ou encore :
« Sartre, *à nouveau,* vint à ma rescousse » (Sartre s'avère
très actif).

Les références littéraires mises bout à bout dans le
roman de Monique Bosco (Hugo, Molière, Voltaire,
Musset, Sartre, Freud), parce qu'elles s'accrochent au
récit par les charnières du temps raconté, constituent
un trajet intellectuel qui se confond en quelque sorte
avec le parcours diégétique. On dira donc, pour résumer, que les références littéraires, plus nombreuses
paradoxalement dans le premier cas que dans le second,
sont *discursives* chez Jean Simard et *diégétiques* chez
Monique Bosco.

Or, une fois de plus, il ne s'agit plus ici d'un hapax
textuel. Selon les indications que j'ai relevées – mais il
conviendrait d'entreprendre une recherche méthodique –, la fonction de la référence littéraire, dans la
plupart de nos romans, demeure essentiellement discursive, énonciative, aussi bien chez Jacques Godbout,
romancier du discours social, que chez Réjean
Ducharme, romancier du discours littéraire, ou chez
Yolande Villemaire dont *La Vie en prose* (1981) a été
reçu comme un texte d'avant-garde. Je ferais peut-être
une exception pour Hubert Aquin. Ce qui serait en
cause ici, ce n'est pas tellement la littérature française
(et européenne) dans son rapport intertextuel avec la
nôtre, mais bien plutôt les conditions formelles d'intégration de toute littérature et même de toute culture au
texte romanesque québécois. L'impossibilité de faire
d'un écrivain, d'un livre, d'une expérience de lecture de
véritables performants diégétiques alors que nos
romans sont saturés de références littéraires – pensons

à Ducharme – nous renvoie, à mon avis, au statut concret de la littérature dans notre société, et nous fait nous interroger sur la nature et le fonctionnement de notre institution littéraire. J'estime qu'en bonne méthode, nous avons affaire ici à un type de phénomènes formels nous autorisant à convoquer, prudemment cela va sans dire, le hors-texte social.

Le statut textuel de la référence littéraire, les espèces de précaution blagueuse dont elle est souvent entourée dans les textes – même chez un Hubert Aquin – m'a déjà fait écrire, de façon un peu courte peut-être, que dans notre littérature romanesque, « l'écriture, se sentant à la fois obscurément redevable à la nature, et honteuse envers la culture, se censure comme culture et va parfois jusqu'à mutiler le signifiant ». Et j'ajoutais : « chez nous, c'est la culture qui est obscène »… Faut-il le dire encore : ceci dans mon esprit n'implique aucun jugement de valeur et n'exprime aucune négativité. Seulement, nous avons pour tâche d'observer et d'essayer de comprendre. Ici, il convient de suivre le conseil d'Einstein : « Si vous voulez habiller la vérité, faites-vous plutôt tailleur. »

L'examen de l'organisation interne de certains romans, les invariants constatés de ce point de vue, ainsi qu'une réflexion sur l'intégration textuelle de la référence littéraire, permettent à tout le moins d'entrevoir l'opération de l'institution littéraire comme instance régulatrice à l'œuvre dans les textes mêmes. Et chaque fois, nous constatons des conflits accompagnés de distorsions plus ou moins aisément repérables entre les codes littéraires et les codes sociaux ou encore des empêchements qui suggèrent que les oppositions entre les codes se situent dans le champ de la société hors-texte. Invoquer à ce propos l'institution littéraire me paraît tout à fait légitime. Entre la masse des discours (et donc des codes) qui composent le discours social, d'une part, et le texte littéraire, de l'autre, l'institution fonctionne en effet à la façon d'une médiation obligée; elle préside au choix même des codes ou mieux encore, elle agit comme le code des codes. C'est elle qui prescrit comment et à quelles conditions, à un moment donné, des matériaux linguistiques hétérogènes de provenance variable doivent et peuvent être réorientés, redestinés, comme dirait Pierre Macherey, aux fins de la réussite littéraire d'un texte.

Il est une dernière série de phénomènes textuels sur lesquels j'aimerais attirer l'attention et, toujours selon la façon de procéder adoptée ici, donner des exemples. Il s'agit de ce que l'on pourrait appeler l'hétérogénéité linguistique et élocutoire. Assurément, l'on pourrait davantage parler ici de codes au sens strict puisque nous avons affaire, dans le contexte de la société fictive, à ce qui se donne comme le langage naturel humain, le langage au premier degré, c'est-à-dire principalement les conversations entre les personnages, langage souvent moins figuré, moins porteur des marques du discours littéraire que celui attribuable au narrateur lui-même. On sera en droit de parler de conflit et non seulement d'hétérogénéité lorsque l'une ou l'autre des diverses langues, l'une ou l'autre des diverses élocutions seront liées à des antagonismes d'un autre ordre dans le texte, ou bien lorsque le narrateur lui-même, par certaines stratégies, semblera opter pour une langue ou une élocution données aux dépens des autres.

Cette question n'est pas si simple qu'il n'y paraît. Remarquons d'abord que l'hétérogénéité linguistique n'est nullement requise d'office pour « faire vrai » (et même pour produire du « pittoresque »). Dans la plupart des romans dits réalistes, le langage des scènes et celui des commentaires apparaissent relativement homogènes. Il y a bien des manières d'ailleurs de marquer l'appartenance sociale et idéologique d'un personnage : par l'accoutrement, l'objet, l'attitude, le dénoté des paroles, et aussi évidemment par des mots disséminés jouant le rôle de variables linguistiques dans un ensemble discursif homogène, mots dont la valeur indicielle est d'autant plus grande qu'ils sont plus rares...

Or si on s'amusait à dénombrer ce qui arrive « linguistiquement » en quelques pages seulement de *La Bagarre* de Gérard Bessette, cela donnerait à peu près ceci : le français du narrateur ; le français fautif et hésitant d'un personnage d'origine américaine ; le franco-québécois commun du héros ; l'anglais courant ; le joual ; le latin ; l'espagnol ; le français précieux et savant d'un autre personnage ; le franco-québécois commun de l'obscénité.

Il ne suffit pas de dire que dans ce texte, nous avons plusieurs langues ; chaque acteur en outre a une élocution distincte, son idiolecte propre, personne ne parle de la même façon, cela sur le plan de la forme même de l'expression. Comme au surplus le héros, paralysé semble-t-il, n'arrive pas à écrire malgré tous ses efforts, on entrevoit ce à quoi tout cela fait signe : c'est qu'en l'absence d'une classe sociale apte à imposer une norme linguistique, le langage d'une communauté humaine éprouve de la difficulté à accueillir et à porter les codes de la littérature. Remarquons que si l'impuissance à écrire du héros n'était pas ici si dramatique, peut-être serions-nous en droit de parler plutôt d'un effet de carnavalisation, puisque de *Maître Pathelin* à *Ulysse,* en passant par Rabelais, la multiplicité des langues et des énonciations a souvent été liée à la culture carnavalesque.

Mais une fois de plus, nous n'avons ici qu'un exemple parmi plusieurs. Dans *L'Isle au dragon* de Jacques Godbout, publié en 1976, le même narrateur, car il s'agit maintenant de son discours, émet des séries lexicales hétérogènes et en outre opposées dans la mesure où les mots québécois ne se disent pas en France et inversement.

Série A, franco-québécoise : chaudière (seau) ; talle (touffe de plantes) ; baloney (mortadelle) ; popsicle (sorte de glace) ; coquerelle (blatte, cafard) ; pied d'athlète (mycose).

Série B, franco-française : pomme chips (tchips) ; mortadelle (baloney) ; glace (crème glacée) ; flûte à champagne (ne se dit pas) ; cartable (d'un écolier) (sac d'école).

Quel est donc ce narrateur singulier qui dit successivement : « Donnez-moé du baloney » et « Je prendrais bien une glace » ? On dirait qu'on a affaire ici à un procédé de stéréographie destiné non à deux paires d'oreilles ou plutôt deux paires d'yeux, mais à deux publics distincts puisque Godbout publie aux Éditions du Seuil. Narrateur incertain, ajoutons-nous, hésitant entre plusieurs codes, peu sûr de leurs effets respectifs. La question devient encore plus intéressante lorsque le

narrateur oppose des langages différents, favorise nettement l'un d'eux selon ce que révèlent ses intrusions,
certains déictiques, mais se garde bien de l'adopter lui-
même, préférant pour son usage une élocution non
compromettante ou même le langage qu'il semble reje-
ter. C'est le cas de Jacques Godbout dans *D'Amour, P. Q.*
et, selon Bernard Andrès, de Réjean Ducharme dans
certaines de ses œuvres théâtrales. Conflits de codes
assurément, et demeurés irrésolus, dont on peut dire
qu'ils doivent être reçus non comme des échecs mais
bien comme des éléments essentiels de la signification
même du texte.

Après cette trop brève revue des questions, je me
garderai bien de conclure. En fait, qu'il me soit permis
d'avouer que je n'aime pas les conclusions. William
James se plaisait à raconter que sa maison de campagne
avait neuf portes et surtout qu'elles ouvraient toutes sur
l'extérieur. Il en éprouvait une intense satisfaction. Je
souhaiterais, pour ma part, que ces problèmes passion-
nants demeurent longtemps comme la maison de William James.

Carnavalesque pas mort?

Il s'agira dans cet essai de quelques remarques sur la pertinence et l'intérêt actuels de l'idée bakhtinienne de « carnavalisation ». Rappelons que chez Bakhtine, principalement dans le *Rabelais,* la carnavalisation désigne l'inscription dans la littérature dite « cultivée » de la culture populaire envisagée comme vision globale du monde. La carnavalisation suppose à la fois un processus et un produit. Phénomène de textualisation (on dira aussi de transcodage), il conviendrait de la saisir dans les œuvres littéraires non pas comme *représentation* mais comme *structuration.* Un texte carnavalisé serait effectivement un texte structuré par la culture carnavalesque sur divers plans : la narration, le contenu narratif, les images. Nous avons affaire ici à un système sémiologique dont le répondant extratextuel est un discours social déjà saturé par les langues du carnaval. C'est le cas du *Gargantua* ou du *Pantagruel* de Rabelais.

Entre les attitudes et les conduites carnavalesques au XVIe siècle d'une part et l'œuvre rabelaisienne de l'autre, Bakhtine laisse entrevoir un jeu complexe de relais discursifs allant, pour reprendre ses termes, de la « sphère non publiée » du langage à la « sphère publiée ». On pourrait dire la même chose autrement en rappelant que sur la place publique du Moyen Âge et de la Renaissance, il n'y avait pas seulement l'ouvrier, l'artisan et le bourgeois mais aussi le paysan, le chevalier sans doute, et sûrement le clerc. Pour Bakhtine lecteur de Rabelais, le carnavalesque, la carnavalisation recouvrent des réalités concrètes qui permettent de rendre compte du système d'une œuvre particulière en fonction de son contexte verbal de discours et non verbal d'habitudes et de gestes. Ce ne sont nullement des catégories abstraites, intemporelles. Peut-être serait-il souhaitable de ne pas confondre tout à fait le Bakhtine interprète-sémioticien d'un texte donné, historiquement situé, avec l'autre Bakhtine, l'historien des formes et théoricien des genres, pour qui la carnavalisation notable de toute la culture à la Renaissance (et même avant) se trouve à l'origine du roman européen moderne. Mais en tenant compte précisément de ces deux positions de Bakhtine, on sera amené à dire que la carnavalisation est une forme historique de la pluralité des discours. Sa forme moderne se nommera polyphonie.

On le devine déjà, le fait de supposer l'existence d'une carnavalisation à l'époque présente nécessite que l'on n'en fasse pas uniquement une question de contenu sémantique. L'idée a quelque chose de positionnel. Évidemment, elle occupe une certaine place par rapport aux autres idées de Bakhtine mais surtout, il semble qu'elle ne saurait être reprise de façon adéquate pour des problèmes littéraires contemporains sans faire cas de ses aspects topologiques.

Constatons d'abord que dans l'œuvre de Bakhtine accessible à qui ne lit pas le russe, l'ouvrage central, l'ouvrage-carrefour, ce n'est ni le *Rabelais*, ni le *Dostoïevski*, c'est *Esthétique et théorie du roman*. C'est par lui qu'il faut obligatoirement passer pour que le *Rabelais*, le *Dostoïevski*, et *Le Marxisme et la Philosophie du langage* puissent communiquer entre eux, s'éclairer mutuellement, se compléter. Le carnaval dans *Rabelais*, la polyphonie dans *Dostoïevski*, le dialogue dans *Le Marxisme et la Philosophie du langage* s'avèrent ainsi des notions parcellaires par rapport à l'ensemble de ce qui paraît en jeu dans *Esthétique et théorie du roman* et qui concerne la « reproduction », la « restructuration » et la « transfiguration esthétique » (ce sont les mots mêmes de Bakhtine) de la multiplicité hétérogène des discours en interaction. Le fait que les idées de carnavalesque et de carnavalisation aient souvent été employées par la suite en rapport avec la forme romanesque explique peut-être qu'on en soit venu à penser que la théorie du roman de Bakhtine repose principalement sur sa conception du carnaval. À mon avis, c'est une illusion d'optique. Certes, les préférences esthétiques de Bakhtine lui-même ainsi que le rôle important dévolu au carnaval dans sa poétique historique ont pu aussi encourager cette illusion. Toutefois, affirmer nettement comme le fera Bakhtine qu'il existe un type de discours artistique nommé roman qui a pour objet non pas la vie sociale mais la vie de l'énoncé, non pas la création du langage à l'instar de la poésie mais sa représentation, c'est singulièrement déborder la question du carnaval.

La vision carnavalesque éventuellement transposée dans le texte littéraire ne peut elle-même être comprise que dans un système plus vaste. On dira qu'elle est aussi une position tenue dans l'unité du champ culturel, unité à laquelle croyait Bakhtine. Ce caractère topologique apparaît manifestement dans l'analyse de l'œuvre de Rabelais. La carnavalisation implique trois régimes d'antagonismes simultanés :

> 1. Dans la culture populaire, un système interne d'oppositions et de permutations de type binaire : le cul et la tête, la mort et la vie, l'injure et la louange, etc.
> 2. Le discours ambivalent de la culture carnavalesque populaire versus le discours unilatéral de la culture dite officielle.
> 3. La transposition textuelle des deux premiers systèmes par la carnavalisation.

Impossible ici de poser ni de concevoir un des termes sans référence aux autres. Si donc on veut parler de carnavalisation à notre époque, on ne se limitera pas à la mise en évidence trompeuse de contenus tels les rabaissements, la corporalité ; on cherchera aussi et surtout à établir des équivalents fonctionnels constituant un ensemble homologue à celui que Bakhtine a observé pour la période de la Renaissance. Il s'agira en premier lieu d'opposer un hypothétique carnavalesque actuel par définition populaire à un monde officiel concomitant contemporain, un sérieux-comique *ouvert* d'aujourd'hui à un sérieux-sérieux *fermé* également d'aujourd'hui. Par culture dite « sérieuse », Bakhtine n'entend certes pas la « grande littérature » : Dante, Shakespeare. Ce serait d'ailleurs selon moi une erreur théorique et méthodologique évidente que de se servir de la carnavalisation pour relancer le vieux débat entre haute culture ou culture de l'élite, d'une part, et culture du peuple ou culture de masse ou encore «pop culture», de l'autre. Le carnavalesque pour Bakhtine, dans la mesure où quelque chose carnavalise quelque chose, requiert la participation des ignorants et des savants, des bateleurs et des philosophes. La coupure ne sépare pas des niveaux esthétiques ou encore des classes ou des groupes, elle distingue des moments différents de l'existence ainsi que des systèmes discursifs et leurs effets littéraires et sociaux. Le monde sérieux, officiel, intimidant, se voit davantage rabaissé dans ses aspects proprement institutionnels que dans ses fondements idéologiques. Pour donner un exemple, c'est l'institution universitaire, nommément la faculté de théologie, que Rabelais destitue dans l'épisode célèbre de Janotus de Bragmardo aux chapitres dix-huit et dix-neuf du *Gargantua,* non la théologie en elle-même. De même, à notre époque, le film des Marx Brothers, *Une nuit à l'opéra,* pourrait être considéré comme le détrônement carnavalesque de l'institution artistique. Où serait par ailleurs le discours terrorisant d'aujourd'hui et de quelle pompe, quel appareil, quel cérémonial s'entourerait-il? Faudrait-il parler de ces fameux «investisseurs» qui agitent le spectre du chômage et de la misère en menaçant de partir ou de ne pas venir, ou, dans un autre domaine, du langage des médecins sur le cancer? Qu'est-ce qui fait peur à présent, ou bien repousse et exclut dans la distance et le mépris? Puisque l'écrivain travaille avec le discours social, il me semble qu'il y aurait lieu de chercher un contre-discours carnavalesque d'abord dans la «sphère non publiée» du langage, laquelle demeure la source de toute carnavalisation. Or il paraît difficile d'imaginer un langage de la rue et de la place publique à une époque où ni la rue ni la place publique ne sont encore des lieux où les hommes vivent. Une des caractéristiques de la proxémique moderne, c'est la disparition dans nos villes de ce que j'appellerais le « monde-déjà-là ». Il y avait partout dans la ville médiévale ou renaissante des gens qui ne semblaient être ni des chalands, ni des marchands, ni des artisans. Ils constituaient le « monde-déjà-là ». Quoi que quelqu'un fît, il était sûr de trouver des spectateurs et des auditeurs. Ces derniers étaient indispensables aux bonimenteurs, aux écrivains publics, aux prêcheurs de croisades et aux fondateurs de religion. La grande place et les souks de Marrakech offriraient encore actuellement à l'observateur le spectacle de ce qu'a *dû* être le Paris de Villon ou de Panurge tout en lui faisant prendre conscience de sa solitude dans une société postindustrielle où les individus sont désormais des unités discrètes isolées.

Compte tenu de ces trop brèves remarques, j'estime qu'on devrait attacher quelque importance au langage des graffiti. Le graffiti serait peut-être un des meilleurs équivalents fonctionnels du discours carnavalesque cherchant à conjurer la peur et à traduire le « haut » sérieux, officiel, dans la langue du « bas ». On pourrait affirmer du graffiti qu'il est à la fois publié et non publié, clandestin et public. Spectacle sans spectateurs, boniment sans auditoire, il signale à la fois l'absence et le regret de la place publique perdue. Mais à partir de là, où aller ? Il faudrait voir dans quelle mesure le langage des graffiti ou bien d'autres langages de la sphère non officielle ont pu faire l'objet de textualisations. Le paradoxe réside ici dans le fait que la carnavalisation se présente toujours comme un phénomène de littérature dite « cultivée » ou bourgeoise. Par définition, seule la littérature sérieuse est carnavalisée et carnavalisable. François Rabelais écrivant *Le Tiers Livre*, c'est Michel Foucault introduisant des bandes dessinées dans *L'Archéologie du savoir* ou Jacques Derrida rédigeant une partie de *La Dissémination* en argot. On n'a pas idée…

Mais le « peuple », la « culture populaire » existent-ils encore dans nos sociétés capitalistes avancées ? Fredric Jameson répondra par la négative sur la lancée de la théorie adornienne de l'industrie culturelle, théorie elle-même redevable, comme chacun sait, aux idées de Marx sur la division du travail et la fétichisation de la marchandise. Bakhtine a une attitude ambiguë. Le rire, affirme-t-il, « a presque entièrement perdu […] de nos jours » ses caractéristiques carnavalesques. On connaît bien le processus auquel Bakhtine fait parfois référence : la privatisation croissante de la vie inséparable de la montée de l'idéologie bourgeoise. Mais cette constatation ne l'empêche nullement de parler de « l'indestructible vitalité dans la langue » de ce qu'il nomme les « grossièretés », de souligner « qu'en réalité le principe de la fête populaire et du carnaval est indestructible », de poser l'existence d'un « grand corps populaire de l'espèce ». En fait, Bakhtine paraît se situer ici sur un autre plan que celui de l'analyse socio-littéraire des réalités contemporaines. Très proche d'Auerbach de ce point de vue, il ne peut isoler la question du carnaval et de la carnavalisation de celle de « la poétique à travers l'histoire ». Le rapprochement avec Auerbach n'est ni superficiel ni démagogique. Les changements observés dans les discours littéraires (carnavalisation chez

Bakhtine, réalisme chez Auerbach) supposent dans l'un comme dans l'autre cas un principe transhistorique actif procédant des « profondeurs de la vie quotidienne et du peuple », lieu par excellence du devenir.

Les implications des positions critiques d'Adorno et de l'École de Francfort pour le sujet qui nous occupe sont considérables puisqu'elles nous obligent à envisager la domination de l'industrie culturelle et l'extinction du « peuple » et de la « culture populaire ». Il me semble cependant qu'on pourrait observer chez certains groupes plus ou moins marginaux l'existence d'une sphère non officielle de langage empreinte de carnavalesque sans qu'il y ait nécessairement des processus de carnavalisation. (Toujours selon Fredric Jameson, le postmodernisme ne serait pas la mise en échec et la négation critique de la culture de consommation de masse, il n'en serait que la contre-épreuve, le négatif. C'est ici que Jameson se sépare d'Adorno : dans une situation caractérisée par l'impossibilité d'un art authentique, il ne peut exister un art authentique critique.) Toutefois, dans les minorités qui ont gardé suffisamment de cohésion à l'instar des sociétés de jadis, il y a de fortes chances pour que l'on assiste à la naissance d'une production carnavalisée. Je donnerais comme exemple de ce phénomène les écrits des mouvements de femmes.

Il subsiste néanmoins des peuples où, pour des raisons historiques et sociales, la culture populaire est demeurée vivante et active, soit comme conduites et langages de la vie quotidienne, soit de façon plus diffuse dans les valeurs transportées par le discours social. Je pense ici, entre autres, au Québec et à l'Amérique latine.

Il paraît indispensable de considérer un grand nombre de romans québécois et latino-américains comme profondément carnavalisés. Ici la carnavalisation pourrait se concevoir dans plusieurs cas comme la seule forme possible de réalisme, compte tenu de la position des différents langages dans la réalité et de leurs rapports entre eux et avec les groupes et les classes.

Il ne paraît pas utile d'aborder la question des traits textuels permettant de circonscrire un corpus (de romans réputés carnavalisés dans ces conditions). Mais qu'il s'agisse de l'hybridation dans le discours ou, sur le plan sémantique, de la création du corps grotesque par les mots, ces deux exigences supposent des faits de système qui indexent et structurent le texte à tous ses niveaux. Peut-être hésitera-t-on à retenir des œuvres caractérisées par des phénomènes « locaux », discontinus : d'intenses moments de corporalité, *la* « scène » particulièrement scatologique, tel personnage au langage bien distinctif. Le corps grotesque (carnavalesque) est partout ou nulle part, ce qui évidemment ne signifie pas du tout qu'il soit seul. Or cet examen en train de se faire du roman carnavalisé québécois ou latino-américain appelle de toute évidence une nouvelle narratologie. Une des tâches les plus urgentes des études bakhtiniennes serait justement de dégager et de développer la théorie narratologique impliquée dans *Esthétique et théorie du roman*. De quoi s'agirait-il ? Dans un premier temps, reconnaître enfin que si la conception du « discours du récit » reprise et reformulée par Gérard Genette *(Figures III)* – et perfectionnée sur des points de détails par Mieke Bal, Jap Lintvelt et Gérald Prince – s'avère assez encombrante à l'usage, et comme curieusement *éloignée* du « centre » où se pose la question de la signification des textes, c'est surtout parce qu'elle cherche paradoxalement à rendre compte du discours en termes de catégories uniquement linguistiques : le temps, le mode, l'aspect, la voix. Ensuite, un coup l'illusion positiviste dissipée, décrire les rôles du narrateur en fonction, cette fois, de l'observation des phénomènes proprement discursifs. Sur ce plan, le narrateur devient alors le régulateur et le répartiteur des langages en interaction. Les « personnages », en tant qu'instances de ces langages (ils disent le langage, ils ne sont pas dits par lui), se trouvent de ce fait avantageusement accrochés par un bout au niveau narrationnel. Enfin, établir une typologie des narrateurs (et des personnages ?) selon les caractères variables de l'interdiscursivité constatée dans les romans.

L'ordinateur saisi par le mythe

Aucune machine n'exerce plus de fascination que l'automate, qu'il s'agisse de l'androïde-jouet des grands « mécaniciens » du XVIIIe siècle (le canard de Vaucanson), du robot moderne, des machines numériques de l'industrie automatisée, ou encore et surtout de l'ordinateur. Paradoxe notable : l'ordinateur, qui est une calculatrice perfectionnée, qui n'a jamais été la machine à information la plus intéressante ni du point de vue scientifique ni du point de vue technologique, se trouve actuellement l'objet d'un véritable culte. On parlera d'un investissement mythique – et mythifiant – par lequel il est dans un premier temps promu au rang de sujet, et deviendrait par la suite capable de réaliser le rêve du poète : « changer la vie… ».

Dans le film de Jacques Godbout, *Comme en Californie,* présenté à la télévision en février 1984, une des personnes interrogées déclare sans rire que « l'ordinateur remplacera le crucifix dans les maisons ». Au même moment, la caméra nous montre une machine de petit format dressée sur une sorte de table-autel dans la baie vitrée d'un salon (sans doute celui de l'interviewé). Évidemment, on ne peut s'empêcher de penser aux dieux lares des foyers romains ou au culte domestique des ancêtres dans les maisons chinoises. Étonnant qu'une des conquêtes en apparence les plus spectaculaires de la rationalité technicienne se voie déplacée et comme annexée par la pensée mythique ! L'anthropomorphisation est certes un des aspects de cette nouvelle dépendance envers le mythe. Exemple : c'est presque maintenant un cliché d'affirmer qu'avec l'ordinateur s'instaure un dialogue homme-machine, que l'ordinateur « répond », etc. On s'étonne de tant de légèreté – et de naïveté. Rappelons pourtant une évidence : dans l'ordre humain du discours, la communication (certains préféreront le mot « dialogue ») suppose deux sujets en interaction. Or je m'illusionne si j'en viens à considérer l'ordinateur comme un sujet. Il est et demeure un objet. Être sujet dans la communication, c'est avoir une attitude réflexive envers les multiples langages qui m'habitent et me constituent, c'est forcément choisir, en fonction de la situation concrète de communication, non seulement mes énoncés mais aussi les intonations et accents évaluatifs qui les accompagnent toujours, c'est enfin prévoir et devancer la réponse de mon interlocuteur ; globalement, dirait Bakhtine, c'est produire des signes qui demandent à être compris et interprétés, non des signaux qu'il faut reconnaître ou identifier. Prendre l'objet-ordinateur pour le sujet d'un dialogue, comme le fait le néo-lyrisme de la communication (prétendument renouvelée grâce à la machine), revient en dernière analyse à travestir le signal en signe et un code binaire en discours. Je vois pour ma part dans cette mythification une des conséquences de la solitude de l'homme dans la société technologique avancée, laquelle fait de nous des individus discrets, isolés, littéralement « connectés » à nos *médias* comme à des simulateurs de l'*autre*, des *autres* absents. L'ordinateur, sous l'apparence de l'autre du discours, n'est en fait que mon double. La fascination solipsiste qu'il exerce révèle peut-être que je suis moi-même en passe de devenir une sorte d'automate. On comprend que McLuhan, voulant éclairer le nouveau rapport homme-technologie, ait eu recours au mythe du Narcisse. Et les « adorateurs du gadget » *(« gadget worshippers »)* que craignait tant Norbert Wiener sont ici à rapprocher du « *gadget lover* » dont parle McLuhan.

Le panpsychisme et le vitalisme dont est empreint le langage sur les automates actuels – même et peut-être surtout le langage des spécialistes – montrent bien que contrairement à une opinion souvent exprimée (entre autres par Abraham Moles) le rôle du mythe ne se limite pas à une préfiguration anté-historique des grandes technologies de notre époque. Rien ne coûte d'admettre qu'Icare soit le mythe de l'aviation, Prométhée, celui de l'énergie atomique, et le Golem, celui de l'automation, de la bionique, et de l'ordinateur.

Il est de plus de conséquence de reconnaître que la pensée mythique semble renaître (est-elle jamais morte?) à l'avènement de chaque nouvel automate, que la machine continue à être pensée en des termes pré-scientifiques, qu'elle paraît même, plus que jamais, subir une « double dépendance scientifique et mythologique », selon les termes de J.-C. Beaune. Au cours d'une série d'émissions sur les microprocesseurs à la télé de Radio-Canada, il n'y a pas de cela si longtemps, Fernand Seguin parlait constamment de « cerveaux électroniques ». Fernand Seguin, qui est biologiste, doit bien savoir que ces termes sont franchement abusifs et que l'analogie souvent invoquée entre l'influx nerveux et l'impulsion électronique (le « tout ou rien », le « passe ou ne passe pas ») s'avère en définitive superficielle. Alors pourquoi ainsi suggérer que la machine est *vivante*? Quel démon assoupi veut-on ainsi faire bouger? Quel fantasme obscur, quel rêve inavoué « travaille » la *pensée scientifique,* au point qu'elle oublie son devoir séculaire qui est de récuser impitoyablement tout langage animiste et anthropomorphique et de s'obliger à l'opérationnisme le plus strict? À moins qu'on ne doive faire ici une distinction entre la *pensée scientifique* et la *pensée du technique.* La fabrication de simulacres du vivant, l'imitation de la vie seraient peut-être dès l'origine le rêve jamais réalisé du TECHNIQUE.

Quoi qu'il en soit, il est aisé de multiplier les exemples. Dans le film de Jacques Godbout dont je viens de parler, voilà un spécialiste qui vient nous entretenir « d'intelligence artificielle ». Se doute-t-il du caractère mythifiant de son langage (lequel anthropomorphise une fois de plus la machine)? Lorsqu'on lui demande de définir l'intelligence, il refuse net sous prétexte que c'est un problème philosophique! Étrange attitude qui consiste à attribuer à l'automate des propriétés humaines déclarées indéfinissables par naturel! Ceci n'est pas innocent, pas plus que le nom de « Golem II » donné à l'ordinateur de l'Université hébraïque de Jérusalem ou celui de « Homonculus » servant à désigner un essai américain de simulation par ordinateur du comportement social. Ici, l'alchimie, la tradition hermétique se trouvent comme délibérément provoquées et convoquées.

On voudra bien ne pas voir dans ces remarques une réitération des angoisses humanistes de naguère devant la montée des machines. Il s'agit bien plutôt d'attirer l'attention sur le caractère en apparence double, conflictuel du langage tenu sur elles. Tout se passe toutefois comme si le scientifique et le mythologique s'excluaient sur un plan tout en se révélant indissociables sur un autre.

Mais le plus paradoxal dans cette histoire reste à dire. Il réside dans le fait que le penseur scientifique le plus important des automatismes modernes, le mathématicien Norbert Wiener, et le philosophe le plus notable de nos *médias,* Marshall McLuhan, se sont crus chacun obligés de recourir aux mythes, non pas tant au début de leurs recherches qu'à leur terme même. Alors que les machines et les technologies chez Wiener sont des prothèses de notre cerveau ou de nos muscles, pour McLuhan elles se présentent comme des extensions de nos sens. Plus que tout autre, Wiener fut responsable de l'élaboration des notions scientifiques qui ont permis l'ordinateur actuel. Dans un premier mouvement, il se félicite de voir ses prédictions réalisées ; en matérialiste orthodoxe utilisant le langage behavioriste, il déclare que la machine, à l'instar de l'homme, est dotée d'intelligence, d'originalité, d'invention. Mais il y a une étrange dualité chez lui. À mesure qu'il hausse la machine vers l'homme, il affirme le primat des valeurs humaines qu'il sent menacées, et il finira par exprimer son souci ultime par le truchement de la pensée mythique, invoquant tour à tour l'histoire de la révolte des anges et du Paradis perdu, la légende du Golem, celle de l'apprenti-sorcier, certains contes arabes ou hindous… Or McLuhan, curieusement, n'agira pas autrement. Il cherche à cerner par des approximations, des analogies, des mythes, ce qui est en jeu véritablement pour l'homme dans sa relation avec les techniques.

C'est ici qu'on devrait peut-être consentir à un détour par la littérature et examiner de près comment la représentation artistique de l'automate éclaire de façon extrêmement significative sa dimension mythique. Je songe ici tout particulièrement à trois « cas » exemplaires : le Monstre dans le *Frankenstein* de Mary Shelley (1818), l'Olympia de *L'Homme au sable* de Hoffmann (1816), et Hadaly, c'est-à-dire *L'Ève future* de Villiers de l'Isle-Adam (1880). Dans l'espace fictif où elles se déploient, ces machines anthropomorphes non seulement représentent l'aboutissement de traditions antérieures aussi bien mythiques que techniques, mais elles posent déjà de façon troublante toutes les questions actuelles.

Au moment où Shannon, le père de la théorie de l'information, suggérait (déjà !) l'utilisation d'ordinateurs pour évaluer les situations militaires et déterminer les stratégies, et où la théorie des jeux de Von Neumann requérait l'attention des experts du Pentagone, Norbert Wiener va même jusqu'à regretter la perte de la conscience tragique des Anciens. Sans la conscience tragique, pense-t-il, nous ne saurons pas nous situer vis-à-vis nos machines. Wiener trouve ici des accents très proches de Hölderlin :

> Si un homme doué de cette conscience tragique s'approche, sinon du feu, du moins d'une autre manifes-

tation de la puissance originelle, comme la fission de l'atome, il tremblera de crainte. Il ne s'élancera pas en ce lieu que les anges craignent de fouler s'il n'est pas prêt à accepter la punition des anges déchus. Et il ne transférera pas calmement à la machine faite à son image sa responsabilité de choisir entre le bien et le mal.

Texte superbe sans doute, mais qui illustre de façon saisissante la profonde contradiction dans laquelle se débat le Wiener de la fin. Car la conquête du Feu (*i.e.* la montée des sciences et des techniques) n'a été possible qu'à condition que disparaisse l'effroi originel. Cela s'appelle la démythologisation du monde.

On excusera la brièveté de ces quelques indications. Une recherche plus étendue montrerait – c'est une hypothèse – que les scientifiques, à leur façon, ne se privent pas eux-mêmes de recourir aux langages mythiques qu'ils dénoncent pourtant allégrement dans ce qu'ils nomment « l'irrationnel contemporain » : l'astrologie, l'occultisme, la magie, etc. Ce serait une histoire à suivre.

Pourquoi je ne demanderai pas
de subventions numériques pour
des recherches digitales (et vice versa)

Organisms can be viewed as made up of parts which to a certain extent are independent elementary units.

JOHN VON NEUMANN, *The General and Logical Theory of Automata*

La recherche en études littéraires dans les universités québécoises est en train de subir, du fait notamment des organismes provinciaux subventionneurs, le plus formidable et le plus périlleux des assauts positivistes – et c'est à peine si on devine çà et là quelques timides protestations. Nul appel audible à la résistance, à la fierté scientifique, voire à la simple raison.

Ce qui se passe actuellement et qui semble prendre des proportions alarmantes n'est évidemment pas la conséquence d'un nouveau Manifeste scientiste qui serait largement accepté et répandu, et dont on trouverait des copies chez les doyens des universités et dans les officines ministérielles. Non.

Ce serait même trop beau. Idéologiquement, nous

nous trouvons au contraire en pleine confusion, ou plutôt en plein aveuglement. Les projets de recherche dont je parle, proposés et agréés en nombre croissant, ont tous cependant un certain air triomphaliste. Il semble qu'il suffirait, pour toucher de près la Vérité, de découper plus ou moins arbitrairement un « champ », un corpus étendu, un aspect du discours, de le fractionner en un certain nombre de portions égales selon le nombre d'assistants qu'on a, et de traiter chaque unité « discrète » ainsi obtenue à la moulinette d'un ou deux concepts ou catégories simples, extérieurs le plus souvent au prétendu objet cherché. Or précisément, personne ne semble présentement enclin dans les départements d'études françaises et littéraires à interroger les fondements épistémologiques de ces entreprises ; à souligner leur positivisme naïf ; à faire remarquer qu'un objet de recherche doit être lui-même au préalable « cherché », c'est-à-dire construit et élaboré, et qu'il ne traîne pas là dans la « réalité », où il suffirait de se pencher un peu pour le saisir ; à rappeler enfin qu'on ne trouvera jamais rien de significatif de cette façon, sinon le peu qu'on aura déjà réussi à mettre dans la définition même du projet.

Et c'est ainsi que des demandes de subventions de recherche de soixante-quinze mille, cent mille, deux cent mille dollars (et plus parfois), mobilisant des équipes considérables, parviennent de plus en plus nombreuses à Québec et à Ottawa, du genre : « Les figures dans la poésie québécoise de 1940 à 1980 » (résultat prévisible : on remarque non sans une certaine fierté que la poésie québécoise renferme les principales figures du discours poétique) ; « Le roman urbain au

Québec et en France depuis 1920 étudié à l'aide des fonctions du langage de Jakobson » (le rapporteur constate que les deux romans ont vraiment la particularité d'être littéraires et qu'il s'avère difficile d'affirmer que l'un l'est plus que l'autre) ; « La réception par le public et la critique des Prix du Cercle du Livre de France » (conclusion prévisible de la recherche : on ne peut s'empêcher de noter que ces romans furent accueillis de multiples façons allant du rejet pur et simple à l'enthousiasme frénétique) ; « L'énonciation dans le roman québécois contemporain » (le dernier rapport fera observer avec sagacité que l'auteur, en gros, y utilise les possibilités offertes par le code général de la narration) ; « Les structures narratives du conte québécois au XXe siècle » ; « Étude socio-sémio-historico-psychanalytique du *Bulletin paroissial* (1910-1960) » ; « Analyse typologique et sémantique des annonces de salons de massage parues dans *La Presse* depuis la guerre », etc., etc.

Si l'idéologie scientiste et positiviste régnante ne saute pas aux yeux de chacun d'entre nous, c'est qu'elle est elle-même masquée par une *pression* plus immédiate encore : celle de la technologie électronique de la communication et de son plus notable avatar, l'ordinateur. Les Québécois, à cause de la faiblesse de leur armature culturelle interne, se trouvent le plus souvent incapables d'accueillir l'autre, ici la nouveauté technologique. Accueillir signifie intégrer selon ce que l'on est ; cela suppose une certaine aptitude à la relativisation critique, un minimum de quant-à-soi spirituel. Observez plutôt comment les choses se passent : les Québécois, on l'a souvent remarqué, s'engouffrent complètement dans chaque nouveauté offerte, y jouent leur va-tout, comme si la nouveauté était tout et eux, rien.

L'une succède à l'autre et elle occupe immédiatement le champ entier, créant l'impression d'un perpétuel recommencement. Le phénomène atteint une ampleur et une intensité maximales lorsqu'il s'agit d'innovations administratives ou techniques ou technologiques, car ces caractères ont pour effet de rendre encore plus visibles notre pauvreté et nos retards sur ces plans. D'où le paradoxe : celui qui est attardé est précisément celui qui possède le dernier gadget ! N'oublions pas que ce dont il est question, c'est la nouveauté *perçue* et non la nouveauté *réelle*. Par exemple, *Les Éléments de linguistique générale* de Jakobson viennent juste de rejoindre, semble-t-il, les fonctionnaires du ministère de l'Éducation et certains milieux de l'enseignement. Mais nos enfants n'ont rien perdu à attendre ! Le très récent programme de français pour le secondaire paraît avoir été conçu sous l'emprise quasi magique du schéma jakobsonnien de la communication. Le terme « émetteur » y remplace le terme « écrivain ». Les textes à l'étude sont « produits » par des « émetteurs » : l'émetteur Gabrielle Roy, l'émetteur Gaston Miron, l'émetteur Jacques Godbout... (En fait, il semble que la majorité des morceaux proposés soit pour une part des articles de Pierre Foglia et pour l'autre, des articles de provenances diverses souvent traduits de l'anglais.) Le théorique, parce qu'il est rarement dépourvu d'une certaine technicité, peut donc produire chez des personnes insuffisamment structurées culturellement le même effet obnubilant (anesthésiant ?) que les techniques et les technologies.

Il était fatal qu'avec l'ordinateur, la subjugation par le nouveau atteigne un degré jamais vu. Mais cet emballement en 1985 a des raisons supplémentaires d'étonner. Dès les années 1960, ailleurs dans le monde, comme en témoigne une abondante bibliographie, les possibilités et les conséquences de l'ordinateur pour la recherche scientifique en général, l'enseignement programmé, l'automation, l'administration, l'électronique, la biologie, la neurologie étaient déjà prévues, décrites et évaluées malgré la miniaturisation encore inachevée des appareils. J'ose croire qu'on en conviendra. À la même époque, il y avait des centaines de terminaux opérationnels, entre autres dans la région bostonnaise et en Californie. Les termes « intelligence artificielle » étaient couramment utilisés, termes auxquels s'opposait – déjà ! – un Hubert Dreyfus… Or dans la hâte suspecte, l'engouement naïf actuels – ça coûte cher ! il faut que ça serve ! –, les moyens sont si lourds et contraignants qu'ils cachent les fins, deviennent plus lourds que les fins, et un outil tel que la machine numérique (l'ordinateur) se voit conférer lui-même le statut de modèle théorique et méthodologique pour la recherche. On dira que le positivisme primaire qui préside à un nombre croissant de projets comme ceux dont j'ai parlé plus haut se trouve secondairement aggravé, si cela se peut, par l'impact d'une technologie qui finit, à son tour, par sur-déterminer le type de recherche et la forme du travail intellectuel qu'elle implique.

Je ne crois pas m'empêtrer ici dans un risible combat d'arrière-garde, et assurément, tout ceci n'a rien à voir avec la présence de terminaux dans les secrétariats des départements d'études françaises ou littéraires et

dans les bureaux de professeurs ! Ce n'est pas l'ordinateur en tant qu'appareil matériel, aussi magique fût-il,
qui agit comme modèle ; c'est la logique de la machine
informationnelle qui impose le choix de projets comportant obligatoirement un travail uniforme indéfini-
ment sécable, segmentable, divisible, et qui écarte de ce
fait d'autres projets visant, après un effort préalable de
balisage objectif et d'établissement des faits, à une saisie
qualitative et unitaire de l'objet. Dans la plupart des cas,
la recherche n'utilise d'ailleurs pas la technologie qui
contribue à la structurer. Elle obéit à une logique
machinique et numérique sans pour autant recourir à
l'ordinateur. À vrai dire, on a affaire ici à un positivisme
que je nommerais « *heavy duty* » : l'illusion tenace que
de l'accumulation de plusieurs parties « traitées » de la
même façon et de leur sommation naîtra enfin une
sorte de Sens...

Avouons-le : nous sommes doublement aveuglés.
Car nous savons fort bien qu'aux époques antérieures,
la technologie dominante a également joué le rôle de
modèle. Cette « série » du XIXe siècle est bien connue et
documentée : la machine à vapeur → l'importance du
problème de l'énergie → la physiologie pensée en
termes énergétiques + l'histoire = le modèle général
historiciste biologisant imprégnant entre autres la critique littéraire. Notre « série » contemporaine pourrait
être posée ainsi : la technologie électronique / l'ordinateur → l'importance des signaux et des codes + la linguistique = le modèle formaliste machinique. C'est
effectivement le paradigme régnant. Et il ne semble pas
que ce soit dans notre milieu qu'on rencontrera ses
variantes les plus sophistiquées.

Autant le dire tout net : ces recherches envahissantes d'inspiration machinique ne désirent trouver au fond que le machinique. On aura remarqué que les projets dont j'ai donné plus haut quelques exemples visent pour la plupart des faits de codes, des régularités codiques. Le code, c'est la dimension mécanique du monde des signes. Bakhtine allait plus loin, disant du code qu'il était le contexte nécrosé. Des empreintes fossiles. De la vie morte. Il y a, je le reconnais, un certain bergsonisme dans mon attitude. Mais comment accepter que la responsabilité du sens soit calmement transférée à des machines ou à leur simulacre textuel ? Comment qualifier cette abdication ? Compte tenu du fait que les universités semblent prêtes à favoriser n'importe quoi en échange de subventions, je la nommerai de ce vieux mot : la simonie. Et je souhaite qu'un Luther se lève parmi nous pour dénoncer le trafic, jusque dans le temple, des mystères sacrés[1].

---

1. Les jeunes lecteurs-trices voudront bien lire ceci au second degré et ne pas subodorer dans les termes religieux une attitude religieuse.

Lorsqu'il m'arrive
de surprendre les voix

*Celui qui crée l'image ne saurait entrer
dans l'image créée par lui-même.*

M. BAKHTINE

1re VOIX

Prétendre écrire sur Dieu… Et en 1985… Vraiment!
Serait-il possible de montrer plus de prétention et une
plus grande naïveté?

2e VOIX

C'est toujours ainsi que tu réagis. On dirait que tu as
peur que nous allions te faire honte chez les intellectuels que tu considères.

3e VOIX

À cela s'ajoute cette façon compulsionnelle que tu as de
venir encadrer nos paroles. Nous, on ne te demande
rien.

2ᵉ VOIX

C'est vrai. Dès que nous ouvrons la bouche, sans perdre une seconde comme si tu étais déjà aux aguets, tu nous interromps. C'est pour nous rappeler, dis-tu (à qui? à nous?), que nous devrions d'abord préciser le contexte, c'est-à-dire (je répète la leçon apprise) indiquer le lieu d'où je parle, dans quel genre d'énoncé emprunté à qui ou à quoi…

3ᵉ VOIX *(interrompant la 2ᵉ et s'adressant toujours à la 1ʳᵉ)*

Tiens! Sur Dieu, je ne te laisserai pas le temps de prononcer ton avertissement préalable. Je le fais tout de suite avant toi. *(Elle prend un ton doctoral.)* Constatons dans un premier temps que l'actuelle remontée offensive du religieux sous toutes sortes de formes ne saurait être le fruit du hasard. N'oublions pas qu'en 1985, nous nous trouvons en période fin-de-siècle. Les hommes et les femmes de ces époques ont toujours éprouvé un mélange de *tædium vitæ* et de sentiment d'inéluctable décadence. Cette humeur est propice à toutes les aventures de l'individualisme irrationnel. À la fin du XIXᵉ siècle, en réaction contre le « bagne naturaliste » et le « dessèchement scientiste », les conversions se multiplient. De Huysmans à Julien Green, le mouvement ne se résorbera pas avant les années 1920… Et laisse-moi évoquer aussi la tristesse, le pessimisme et même la « délectation masochiste » des écrivains de la fin du XVᵉ siècle :

> La clarté m'est obscure et ténébreuse
> Mon sentiment est devenu folie…

Or voilà que nous nous apprêtons non seulement à changer de siècle mais de millénaire ! Le vague-à-l'âme fin-de-siècle n'est rien comparé aux idéologies millénaristes résurgentes. Je ne prétends pas que nous allons revivre les terreurs de l'An Mil. J'affirme plus simplement le retour imminent – c'est déjà bien commencé – des mythes, de la magie, du mysticisme et des prophètes : « Tous, faites pénitence car la fin est proche ! » Et je me demande, en un deuxième temps, si nous ne sommes pas à notre insu en train de céder à la vague montante.

1re VOIX

Pas besoin de continuer. J'ai compris.

3e VOIX *(poursuivant)*

… Voilà la mise en garde contextuelle – pour utiliser ton vocabulaire – que tu t'apprêtais à nous servir. Je suis sûr que tu as apprécié la manière dont j'ai réussi à rendre le ton un peu « école du soir » qui caractérise habituellement tes propos ainsi que l'air que tu gardes de t'émerveiller devant des évidences. Mais ne te fâche pas, je sais que tu as le souci de la rigueur et que tu n'aurais pas, comme je l'ai fait sans vergogne, employé les termes « religieux », « mythe », « magie », « mysticisme », « Dieu » comme s'ils étaient à peu près équivalents.

2e VOIX

Voilà qui est bien dit !

1re VOIX

Vous commencez toutes les deux à me les casser, ou toutes les trois ou quatre, car je ne sais plus au juste combien vous êtes. Mais je vous sens très bien vous entortiller autour de moi, puis vous éloigner pour revenir m'entourer… Je ne m'arroge aucune fonction. J'admets que j'ai parfois tendance à invoquer les règles, et aussi à remettre nos discours en situation, mais cela ne me confère aucune prééminence sur les autres voix et ne me vaut surtout aucun rapport privilégié avec celui dont toutes ensemble nous constituons (pour ne pas mieux dire « tissons ») la conscience ainsi que le discours intérieur et extérieur.

2e VOIX

Je te le concède. D'autant plus que l'individu qui se considère notre « possesseur » s'illusionne beaucoup s'il pense qu'une seule de nos voix parle lorsqu'il parle ! Souvent, nous parlons toutes en même temps. Mais il faut écouter attentivement la suite de l'énoncé pour s'en rendre compte.

3e VOIX *(s'adressant à son tour à la 1re)*

Tu admettras quand même qu'il puisse arriver qu'il ait le sentiment – supposons un instant qu'il soit lucide non seulement de la simultanéité multiple de nos voix mais aussi de leur succession, comme si en prononçant « je » le plus sincèrement du monde, il ressentait en même temps l'impression que d'autres « je » possibles s'agitent en coulisse, prêts à entrer en scène.

1re VOIX

Cela revient à dire qu'il ne faut pas sous-estimer notre porte-voix. Cette conscience individuelle que nous gardons par les mots en mouvement, dont nous opérons le devenir – je tairai son nom et je me contenterai de l'appeler l'Intellectuel Besogneux Insomniaque (IBI) – ce vecteur et cette énergie de discours dans le monde, peut-être le jugeons-nous mal. Selon moi, il n'est pas aussi naïf qu'on le croirait. IBI a vécu toute sa vie dans les langages. Depuis le temps, il se doute bien que les mots et les formes de ses discours ne lui appartiennent pas, ne lui ont jamais appartenu, qu'ils viennent d'autrui pour retourner à autrui. Tout au plus lui arrive-t-il par moments de se croire, avec son goût pour les mauvaises métaphores musicales, l'arrangeur, le chef d'orchestre, le maître de chant, celui qui préside au « chœur des petites voix » (ainsi nous nomme-t-il). Et je doute qu'il lui vienne jamais à l'idée que le « je » ou le « moi » puissent exister antérieurement au discours. Plus ou moins confusément, il inclinerait à se convaincre que c'est le langage qui produit le « je » et non l'inverse.

3e VOIX

Je nuancerais ta première affirmation. Il me semble que IBI se considérerait toujours l'auteur (possesseur) de ses énoncés, mais là où gît pour lui le problème, c'est qu'il ne réussit pas à préciser comment et où il en est l'auteur. D'où sa tendance à déplacer l'attention sur de prétendues marques auctorielles tels l'intonation, le ton, le mixte des discours. Cela se passe comme si nous

avions affaire à un Narrateur cherchant maladroite-
ment et sans succès l'Auteur réel.

2ᵉ VOIX

Puisqu'il est question de Dieu…

1ʳᵉ VOIX

Laisse-nous vider notre sac au sujet d'IBI et on verra
bien après… Si je nous ai bien saisies, en fin de compte,
IBI désespère que le « je » qu'il profère parvienne un
jour, fût-ce une seule fois, à renfermer pour ainsi dire la
totalité et l'unité de son être. C'est la raison pour
laquelle il n'a jamais été vraiment capable de se concevoir avec sérieux comme substance, permanence, identité. (On comprend que l'idée d'un châtiment éternel le
fasse doucement rigoler.) Mais il persiste à mon avis
dans deux erreurs. La première, c'est de présumer qu'il
nous contient, nous ses mots et ses discours, qu'il serait
par lui-même un ensemble plus englobant que l'ensemble que nous formons. Évidemment, il se trompe.
C'est nous qui le contenons. C'est nous le propriétaire.
C'est lui le locataire. Que ne relit-il plus souvent ce
Bakhtine dont il parle sans cesse ? « La conscience individuelle [est] seulement un locataire habitant l'édifice
social des signes […]. » La seconde erreur – mais il
s'agit en fait d'ignorance –, c'est qu'il est à mille lieues
de se douter qu'à son insu, nous les voix, nous avons la
capacité de nous orienter les unes vers les autres, de
communiquer entre nous, d'échanger des sèmes, des
fragments d'énoncés, des accents. Mais cela, il vaut

mieux qu'il l'ignore, il y perdrait ses dernières illusions. À vrai dire, IBI réussit quand même à me toucher un peu. Dans l'état de délabrement physique et spirituel où je le trouve, il emploie son temps à préparer des cours, corriger des copies, réviser des mémoires et des thèses, évaluer des projets, lire des revues ennuyeuses, écrire des articles qu'il remet toujours en retard, il ne lui reste plus de temps pour la dérive des signes et le « plaisir du texte », activités avec lesquelles il a pourtant montré qu'il avait des affinités, du moins théoriques.

3ᵉ VOIX

Il va bientôt se réveiller. Cessons de parler de lui et revenons, comme il se doit, à l'une ou l'autre de ses « premières personnes ».

(IBI sort soudain d'une longue rêverie. Il ne se souvient de rien.)

2ᵉ VOIX

… Donc, il m'est difficile de parler de la question de Dieu si je ne reconnais pas d'abord ma propre position contemporaine en tant que sujet. Je dirais comme Ernst Bloch : « Je suis, mais ne me possède pas […] ». Je ne désire nullement me faire passer pour philosophe. À force de bricoler dans les langages, d'observer la formation des discours, certaines évidences finissent par s'imposer. Mon « je » est multiple et hétérogène. Il n'arrivera jamais à lui seul à me sommer et à m'unifier. « Mon » langage appartient à autrui (à quelles conditions le

ferais-je mien?) et quand je parle, « mes » énoncés ne
sauraient ni exprimer un « je » pluriel et fuyant que je
ne puis jamais fixer en un lieu central ni coïncider avec
lui. Les différents discours qui me constituent (les mots,
les voix de l'autre) se conjugueront peut-être un jour
dans l'harmonie et l'unité, mais ce sera en un point
hors de moi, et vers lequel je tends sans doute comme
énergie orientée. C'est pourquoi il est exact de dire que
mon unité et même mon intériorité résident à l'extérieur de moi. Reconnaître cela, ce n'est pas accréditer un
quelconque nihilisme… C'est…

1re VOIX

Bon! Bon! Je reconnais là certaines considérations
assez sommaires inspirées de Bakhtine et tirées vers les
nouvelles théories du sujet. Il te reste maintenant à
remplir par l'Autre (eh oui! avec une majuscule!) le je-
moi ainsi vidé de sa substance, en précisant bien sûr
que le « moi » dont il s'agit ici est celui des grandes phi-
losophies du sujet et non celui de la psychanalyse.

2e VOIX

N'essaie pas de suggérer que ce dont il est question, c'est
une sorte de personnalisme cucul avec son dialogue
niais. Pour reprendre la distinction de William James,
Bakhtine n'est pas un « *tender-minded* » mais un « *tough-
minded* ». Sa philosophie de l'altérité se fonde sur une
critique impitoyable de la linguistique positiviste et une
théorie du discours d'une minutie maniaque. Elle ne
flotte pas sur un coussin d'air! On ne se trouve pas ici

chez les penseurs « mous » : les Teilhard, les Edgar Morin, les Henri Laborit. Pour moi, qui ai en horreur toute forme de positivisme et de scientisme, je préférerai quand même toujours Freud à Jung, Taine à Renan et, puisqu'on y est, Sartre à Camus. Mais réellement, ce qu'il faut bien voir, c'est la coïncidence frappante entre, d'une part, la façon dont plusieurs d'entre nous ont été amenés à la suite de leurs expériences vécues et aussi de leurs lectures à s'éprouver comme des sujets décentrés, voire brisés, et, d'autre part, l'actuel déclin si marqué des grandes constructions philosophiques de la conscience. Notre valorisation existentielle de l'hétérogénéité et de la non-identité trouve déjà dans la Théorie Critique de l'École de Francfort son élaboration théorique convaincante. Nous vivons présentement dans un climat spirituel (largement alimenté d'ailleurs par la vie concrète actuelle) caractérisé par la détestation quasi instinctive des hiérarchies logocentriques. Parler de la fin des idéologies et notamment de celle du marxisme n'a de sens que si on prend en compte une attitude nouvelle (mais non inédite) qui répugne à admettre la primauté du contenu sur l'expression, de l'universel sur le particulier, de la totalité sur la partie, du sujet sur l'objet. Peut-être qu'un homme ou une femme de la fin du XXe siècle ne se sentent pas plus concernés par le sujet du texte que par le Sujet de l'Histoire...

1re VOIX

Ce que tu viens de dire passerait à la rigueur pour un bon développement de niveau cégep, mais je reconnais avec toi qu'on voit mal comment un sujet hétérologique désormais incapable de se poser comme foyer de sa propre activité individuelle puisse s'hypostasier en un Centre penseur ou organisateur du monde, et que cela a à voir directement avec les possibilités de parler de Dieu. Peut-être en effet que tout se tient ici et que le Comité central d'un parti communiste prétendant aménager en clair la société évoque par trop ce modèle rayonnant. Nous conviendrons plutôt aujourd'hui que même le social, pour ne pas dire le culturel, comporte une bonne part de naturel inexpliqué et qu'il faudrait aller flâner un peu plus dans les marges et les bas-côtés.

3ᵉ VOIX *(s'adressant à la 2ᵉ voix)*

And so what! Tout ceci me fait sourire. Sans jamais avouer ta position, si non ou oui tu admets l'existence de Dieu, tu te félicites de ce que nous ne puissions plus maintenant envisager Dieu comme Sujet dernier, comme Signifié transcendantal au terme du sublime jeu de raquette métaphysique. Et puis tu agites en même temps un bout d'étoffe colorée emprunté à Bakhtine sur lequel il me semble apercevoir le mot « charité ». Moi, je suis matérialiste et athée. Je l'ai souvent déclaré, surtout après de copieux dîners. J'ajouterais même que si par malheur Dieu existait, nous aurions le devoir de nous battre contre lui.

1ʳᵉ VOIX

Voilà un exemple de sujet déphasé et conflictuel. Un intellectuel qui professe son athéisme, tout en semblant souhaiter connaître de nouvelles approches de Dieu.

2ᵉ VOIX *(s'adressant à la 3ᵉ)*

Je ne peux rien rétorquer sinon par voie latérale et avec des considérations de seconde zone. D'abord, ta position n'est pas intéressante. Ensuite, il n'est pas sûr qu'elle ne s'avère pas la plus commode et la plus rassurante. Fernand Ouellette me faisait observer un jour que le matérialisme et l'athéisme tranquilles lui paraissent beaucoup moins angoissants que l'inconnu d'un devenir extra-temporel. En fait, sans doute existe-t-il peu de malheurs dont on n'arriverait pas à s'accommoder avec une bonne provision de tabac, la certitude que tout cela finira absolument un jour, et la pratique raisonnée et quotidienne du stoïcisme des Anciens. J'ajouterais que la damnable opposition matérialisme-idéalisme m'apparaît présentement aussi désuète que l'opposition phlogistique-antiphlogistique. Si vous me dites que la matière a produit *L'Art de la fugue*, Sainte-Madeleine de Vézelay, *Le Prélude à l'après-midi d'un faune*, *Guernica*, je suis tout à fait d'accord ! Quelle matière !

3ᵉ VOIX

Ce ne sont pas là des arguments et tu le sais bien ! Pour quelqu'un qui déclare péremptoirement préférer les « *tough-minded* » aux « *tender-minded* » et, comme tu l'affirmais encore l'autre jour, B. F. Skinner à Carlos Castaneda, tu me parais particulièrement mou.

2ᵉ VOIX

Pour être franc jusqu'au bout, je dois te dire que je collectionne les éditions de la Bible, que malgré mon anticléricalisme viscéral, j'éprouve une secrète admiration pour la tradition monastique chrétienne, et que j'en suis même venu à estimer que c'est l'Église qui propose la conception la plus ouverte de l'humain (lequel ne serait jamais définissable par un seul de ses attributs : sexe, esprit, corps, ni d'ailleurs par sa conformation physique et le nombre de ses membres ou de ses sens, ni par les canons sociaux du normal et de l'anormal). Peut-être Maurice Clavel avait-il raison de prétendre que la seule façon de sauver les hommes, c'était de reconnaître en eux du plus qu'humain (pas le sur-homme !).

1re VOIX

Cela se complique.

2e VOIX

Tu commences à m'effrayer. Tu escamotes cette exigence minimale qu'avait bien soulignée Horkheimer ou Adorno, je ne sais plus. Tu viens pourtant de le lire dans Hans Küng : aucun motif secondaire (nostalgie des hommes, besoin d'un garant éthique, etc.) ne peut nous décharger de la responsabilité de la question principale qui est celle de la vérité de Dieu. Et cette question de la vérité de Dieu suppose les mêmes exigences et la même rectitude intellectuelle que toute question de vérité.

3e VOIX

Ici je me rends. Je n'ai rien à opposer à cela, sinon assez

faiblement que je ne sais pas très bien de quelle vérité il s'agit. Nous voici arrivés au temps du « *als ob* », du « comme si ». Agir, juger sans critère. Sentir que sa liberté, ainsi que le remarquait Jean-Luc Nancy, « n'est pas loi mais l'autre comme loi ». Commencer, sans jamais y réussir, par prendre à rebours l'affirmation du petit-bourgeois romantique déclarant un jour : « L'enfer, c'est les autres. » Quelle erreur ! Non, l'enfer, c'est soi-même. Comment réussir à se débarrasser de soi ? Bakhtine disait la même chose autrement : « L'enfer, c'est le manque absolu d'écoute. » Puis se répéter après Wittgenstein que devant ce dont on ne peut pas parler, il conviendrait non de nier mais de se taire. Or, s'il fallait être deux pour garder le silence ? Il est étonnant que Bakhtine, ce grand théoricien de l'interaction discursive, ne parle jamais du silence. Ce « vide au cœur du monde », ce trou d'indétermination au creux de tout texte, et autour desquels mon discours s'épuise, engagent-ils le silence comme terme ou comme commencement ? Peut-être que Dieu existe et que ce qui nous est demandé, c'est de vouloir qu'il existe. « Pessimisme de l'intelligence, optimisme de la volonté », dirait Gramsci.

1re VOIX

Je vous avais pourtant averties au début.

Notice bibliographique

Les textes réunis dans ce volume ont d'abord paru dans les revues ou les ouvrages suivants :

« Mon cœur est une ville », *Liberté,* Montréal, n° 6, novembre-décembre 1959 ; repris dans *Liberté,* n° 28, juillet-août 1963.

« *Liberté* : la porte est ouverte », *Le Devoir,* Montréal, 5 novembre 1983.

« Guadeloupe ambiguë », *Liberté,* n°s 112-113, juillet-octobre 1977.

« La feuille de tremble », *Liberté,* n° 94, juillet-août 1974.

« Parle [r] [z] de la France », *Liberté,* n° 138, novembre-décembre 1981.

« L'Allemagne comme lointain et comme profondeur », *Liberté,* n° 143, octobre 1982.

« Maroc sans noms propres », *Liberté,* n° 149, octobre 1983.

« La rue s'allume », *Liberté*, n° 46, juillet-août 1966.

« Pour la nouvelle », préface à André Carpentier, *Du pain et des oiseaux*, Montréal, VLB Éditeur, 1982.

« Fonction du fantastique », préface au dossier intitulé « Le fantastique », *La Nouvelle Barre du jour*, Montréal, n° 89, avril 1980.

« Littérature et politique », *Stratégie*, Montréal, n° 8, printemps 1974.

« Petite grammaire de la solidarité avec le peuple », *Liberté*, n°s 82-83, novembre 1972.

« Petite essayistique », *Liberté*, n° 150, décembre 1983.

« Portrait du prof en jeune littératurologue », *Liberté*, n° 127, janvier-février 1980.

« Avant le Référendum de 1980 : l'esthétique du oui », *Liberté*, n° 128, mars-avril 1980.

« Après le Référendum : on ne meurt pas de mourir », *Liberté*, n° 131, septembre-octobre 1980.

« L'effet Derome », *Liberté*, n° 129, mai-juin 1980.

« Pour un unilinguisme antinationaliste », *Liberté*, n° 146, avril 1983.

« Indépendance du discours et discours de l'indépendance », *Liberté*, n° 153, juin 1984.

« Les souvenirs de Gérard Pelletier : une mémoire hors du temps », *Liberté*, n° 159, juin 1985.

« Culture de masse et institution littéraire », *Liberté*, n° 120, novembre-décembre 1978.

« Les écrivains québécois sont-ils des intellectuels ? », *Liberté*, n° 145, février 1983.

« Culture populaire et culture sérieuse dans le roman québécois », *Liberté*, n° 111, mai-juin 1977.

« Le conflit des codes dans l'institution littéraire québécoise », *Liberté*, n° 134, mars-avril 1981.

« Code social et code littéraire dans le roman québécois », *L'Esprit créateur,* vol. XXIII, n° 3, automne 1983.

« Carnavalesque pas mort ? », *Études françaises,* Montréal, vol. 20, n° 1, printemps 1984.

« L'ordinateur saisi par le mythe », *Critère,* Montréal, n° 37, printemps 1984.

« Pourquoi je ne demanderai pas de subventions numériques pour des recherches digitales (et vice versa) », *Liberté*, n° 158, avril 1985.

« Lorsqu'il m'arrive de surprendre les voix », *Liberté*, Montréal, n° 161, octobre 1985.

Table des matières

III DÉBATS

IV CODES

CRÉDITS ET REMERCIEMENTS

Les Éditions du Boréal remercient le Conseil des arts du Canada
pour son soutien financier ainsi que le Fonds du livre
du Canada (FLC).
Canada

Les Éditions du Boréal sont inscrites au Programme d'aide
aux entreprises du livre et de l'édition spécialisée de la SODEC
et bénéficient du Programme de crédit d'impôt pour l'édition
de livres du gouvernement du Québec.
Québec ⬚⬚

Illustration de la couverture : Tiplyashina/Dreamstime.com
Photomontage : Julie Larocque

MISE EN PAGES ET TYPOGRAPHIE :
LES ÉDITIONS DU BORÉAL

ACHEVÉ D'IMPRIMER EN JANVIER 2016
SUR LES PRESSES DE L'IMPRIMERIE GAUVIN
À GATINEAU (QUÉBEC).